이번 생 플레이 가이드

이번 생 플레이 가이드

글 김리뷰
그림 원사운드

태초에 게임이 있었고, 우리는 모두 게이머였다

하빌리스

목차

0 프롤로그

1 이 세계가 게임이라는 증거들

2 그런데 게임의 상태가…?

THIS LIFE 100%

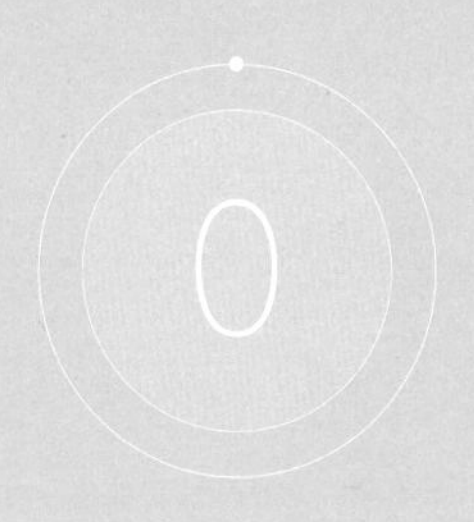

프롤로그

Log In

당신은 스스로에게 다음과 같은 질문을 해본 적이 있을 것이다.

나는 어디로부터 와서 어디로 가는 것일까? 이 넓디넓은 우주에서 나라는 존재는 대체 어떤 의미일까? 나는 누구일까? 뇌 속에 있는 의식이 나를 정의하는 걸까? 죽은 다음에는 어떻게 될까? 천국이나 지옥이 없다면 어디로 가는 걸까? 죽음이란 존재가 완전히 삭제되는 것일까? 우리가 사는 우주는 어떻게 생겨먹은 걸까? 우주는 상상할 수 없을 만큼 거대한 생물의 머릿속 혹은 하나의 세포 아닐까? 우주 바깥에는 대체 무엇이 있을까? 나는 대체 왜 태어났을까?

당신은 순간순간마다 의문들을 떠올리다가 '이런 터무니없고 추상적인 생각은 나밖에 하지 않을 거야. 현실로 돌아가야지' 하고 일상에 다시 파묻히기를 반복할지도 모른다. 아니, 분명히 그럴 것이다. 그렇게 설계됐으니까. 대부분의 사람들은 같은 의문을 갖고 있다. 다만 겉으로 이야기하는 경우가 드물 뿐이다. 우리가 다른 사람들과 흔히 나누는 대화는 단순한 근황, 지금 가진 고민이나 영화, 드라마, 혹은 인간관계와 사회문제 같은 것들이지, '방대한 우주 속 나의 의미에 대한 고찰', '통속의 뇌', '프랙탈 우주론' 같은 기묘한 주제들이 아니다. 일상에서 저런 얘기들만 하다간 주위에 사람이 남아나질 않을 것이다.

그러나 당신은 의문을 떨쳐버릴 수 없다. 하루하루 일하고 먹고 싸고 자면서 살다가 죽는 게 무슨 대단히 이상한 일이라도 되는 것처럼. 이미 대부분의 사람들 아니, 모든 동물들이 그렇게 태어나 사라지고 있는데도 불구하고. 다시 한 번 강조하지만, 이건 모두 애초에 그렇게 설계됐기 때문이다. 당신은 사실 매우, 매우 정교하며 사실적인 가상현실 게임 속에 있다.

이게 대체 무슨 개소리인가? 안타깝지만, 내가 말한 건 사실이다. 게임은 놀랍도록 치밀하고 정교하게 만들어져 있어서, 당신은 게임에 접속해있는 동안 자신이 게임 중이라는 사실을 인지할 수 없다.

당신은 설령 이 책을 모두 읽더라도 이 세계가 모두 게임의 산물임을 믿지 않을 것이다. 그렇게 설정됐기 때문이다. 기껏해야 '누구나 한 번쯤 떠올릴 법한 발상으로 꽤나 진지하게 썼군. 그렇지만 우리 집 책장에 꽂아놓을 정도는 아니야…'라고 생각하고 말 것이다. 나름 큰 결심을 하고 게임의 실체에 대해 책을 쓴 내 입장에서야 꽤 슬픈 일이다. 그래도 나는 당신들을 탓하지 않을 것이다. 이 내용을 믿지 못하는 것은 의지의 문제가 아니라, 게임 속 설정이 그렇기 때문이다. 일개 유저인 당신이 어쩔 수 있는 문제가 아니다. 이해한다.

그렇다면 게임 밖에서 당신이라는 존재를 '플레이'하고 있는, 원래 세계의 당신은 어떤 존재일까? 게임 밖 세상은 과연 어떤 세상인가? 백보 양보해 앞 내용이 사실이라 받아들이더라도, 당신의 새로운 의문은 끊이지 않을 것이다. 나는 계속 이어질 이 책의 내용을 통해 당신의 의문들이 조금씩 풀릴 수 있도록 노력하겠지만, 이 책 역시 완벽한 답변이 될 수는 없다. 왜냐하면 이 세계를 게임으로 인식하는 것 자체가 설정에 어긋나는 행동인데다, 애당초 한 차원 이상의 개념은 아무리 자세히 설명한들 온전히 이해하는 게 불가능하기 때문이다. 세상에는 이해할 수 없는 일이 많다.

게임을 플레이하고 있는 진짜 당신이 있는 세계는 5차원일 수도, 6차원일 수도, 혹은 그 이상의 차원에 있을 수도 있다. 우리가 인지하는 4차원에서는 그것이 어떤 방향축이 추가된 세계인지 알 수 없고, 설명도 불가능하다. 실은 알 필요도 없다. 앞서 말했듯 당신은 그저 게임을 플레이하고 있을 뿐이기 때문이다. 컴퓨터 게임을 플레이할 때 '게임 서버 속의 나'가 '실제 플레이중인 나'를 인지할 필요를 느끼지 않듯, 당신도 게임 밖 당신과 세상에 대해 고민과 걱정을 할 필요가 없다.

이 책 역시 게임 밖 세상이 아니라, 우리가 플레이 중인 게임 자체에 대해 이야기할 뿐이라는 걸 알아주길 바란다. 나는 우리가 소위 '매트릭스'에 빠져있으며, 빨간약 같은 걸 먹고 실제 세계로 빠져나가야 한다고 주장하려는 게 아니다. 이 책은 이 게임이 어떻게 구성돼 있는지, 게임을 하면서 어떤 목표를 추구해야 하는지, 다른 유저들은 어떻게 플레이했는지 등을 소개하면서, 당신이 게임을 더 잘 즐길 수 있도록 돕고자 하는, 일종의 가이드북이다. 내가 무슨 자격이 있어서 가이드북 같은 걸 쓰냐고? 생각해보니까 말이 안 되는 것 같기도… 옳지, 바람 때문이라고 하자. 한 사람이라도 이 게임을 더 즐겁게 플레이했으면 하는 바람, 바람이다. 나는 바람으로 이 책을 쓴다. 당신이 더 행복한 게임을 하길 바라며.

PostScript ; 이 책이 무지하게 재미없을 가능성을 생각해서, 책의 끝부분에 비밀미션을 하나 숨겨놓았다. 이 비밀미션은 책을 다 읽어야만 해결할 수 있는데… 완벽하게 미션을 수행한 뒤, 마지막 페이지에 있는 지령에 따라 정답을 보내면 당신에게 선물을 줄 것이다. 아, 내가 아니라 출판사가. (웃음)

0-1 게임의 목적 : 왜 이 게임을 하고 있나

A는 미술을 공부하는 학생이다. 아니, 정확히는 미술대학 입시를 준비했던 수험생이다. 십대의 나이로 무작정 꿈을 좇아 고향을 떠났지만, 도시의 공기는 이 청년에게 잔인할 정도로 차갑고 냉정했다. A는 상경한 첫 해, 패기에 가득 찬 상태로 원서를 집어넣었으나 낙방했다. 그러나 어느 누가 첫 술에 배가 부르랴? 물심양면으로 지원해주시는 어머니를 생각하며 1년 재수를 선택했지만 결과는 예년과 같았다.

불합격 통지를 받은 A는 한동안 그 자리에서 고개를 떨구고 있었다. 2년의 시간이 무의미하게 흘러갔다, 이 문장이 A의 머릿속에서 하염없이 쳇바퀴를 굴렸다. 거듭된 불합격. 실패. 위대한 사회가 A에게 붙인 단어들은 잔인하기도 하거니와, 무엇보다도 불친절하기 짝이 없었다. 재능이 없다. 회화가 모자라다. 차라리 답이라도 명확했으면 좋겠다.

아무튼, 다시는 돌아오지 않을 A의 2년에는 실패라는 딱지가 붙어버렸고, 그 덕에 A의 삶은 큰 기로 앞에 놓였다. 고향으로 돌아가야 할까? 안면몰수하고 1년 더 도전해야 할까? 이도저도 아니라면 학교장에게 달려가 '왜 내가 불합격이냐, 명확한 이유가 있냐'라며 땡깡이라도 부려야 할까?

고향으로 돌아간 다음에는 어쩌지. 그냥 어머니가 하는 일을 고스란히 물려받아 평생 똑같은 일만 하다 죽으면 되는 걸까? 1년 더하면 어떻지? 한 번 더 떨어지면 난 정말 죽어버릴지도 모르는데. 그런데 붙어버리면? 평생 이런 그림이나 그리며 살아가야 하는 건가? 그림은 대체 왜 그리는 거지? 난 왜 이런 일을 시작했지? 나는 왜, 뭘 위해서 살고 있는 거지? A는 뇌리에서 끈적거리며 떨어지지 않는 좌절감 속에서, 난생 처음으로 인생의 의미를 고민하기 시작했다.

당신은 살면서 적어도 한 번쯤은 이런 생각을 해본 적

사실은 그냥 아무이유 없을지도 모른다

이 있을 것이다. '난 대체 뭘 위해 살고 있는 거지? 이렇게 열심히 살아야하는 이유가 있는 걸까?'. 이런 생각에 빠진 시간을 요즘말로는 현자타임이라 부르는 모양이다. 현자라고 만날 이런 답 없는 생각만 하는 것도 아니겠지만.

대체로 게임에는 목표가 있다. 대한민국 고유의 민속게임 《스타크래프트》는 나 이외의 유저를 전멸시키고 승리하는 것이 목표이고, 《히어로즈 오브 더 스톰》이라는 게임은 최대한 많은 사람들에게 게임을 강제하는 것이 목표이며, 《오버워치》는 주요 지역을 정해진 시간동안 점령하거나 화물을 특정 위치까지 운반, 혹은 운반을 막는 것이 목표가 된다.《시드마이어의 문명》은 게임의 목표가 여러 갈래로 나뉘어 있는데, 상대 문명을 전부 전멸시키거나 문명을 극한까지 발전시켜 우주로 진출하는 것 등이 승리요건이다.

사람들은 게임 속에서 주어진 명확한 목표를 쫓아가면서, 혹은 한 단계씩 발전하는 스스로를 통해 성취감과 만족감을 느낀다. 많은 사람들이 게임을 좋아하는 이유가 이것이다. 그럼 여기서 떠오르는 질문, 이 게임의 목적은 대체 무엇인가? 돈을 많이 버는 것? 가장 명예로운 사람이 되는 것? 최대한 종자를 많이 퍼뜨리는 것? 무소불위의 권력자가 되는 것? 어쩌면 목표를 찾는 것 자체가 이 게임의 목표일지도 모른다. 전설의 보물 원피스의 정체를 찾는 것 자체가 만화『원피스』의 내용이듯이.

앞에서 '게임에는 대체로 목표가 있다'라고 말했지만, 사실 게임의 종류도 꽤 다양하다. 이를테면 '샌드박스 게임Sandbox game'이라는 개념이 있다. 아무것도 없는 모래밭에 어린이들을 던져놓으면 즈그들끼리 잘 놀듯이, 그냥 플레이어에게 모래를 몇알 던져놓고 알아서 즐기게 하는 게임이다. 이런 종류의 게임으로는 《게리모드》, 《마인크래프트》, 《롤러코스터 타이쿤(이 게임에는 목표가 주어지는 모드가 있긴 하지만)》, 《유니버스 샌드박스》, 《스포어》 등이 있다. 오픈월드에 비교적 자유도가 높고 갖가지 모드 적용이 용이한 《엘더스크롤》이나 《Grand Theft Auto》 같은 시리즈도 넓게 보면 샌드박스 게임의 범주에 들어갈 것이다.

이런 샌드박스 게임의 특징은, 다른 게임보다 오랜 시간유저들에게 사랑받는다는 점이다. 매일매일 새로운 작품이 쏟아져 나와, 유저 확보를 위한 무한 경쟁이 끝없이 벌어지는 현세의 지옥, 게임업계에서 이 게임들의 수명은 말도 안 되는 수준이다. 정해진 플레이 형태도 없이, 게임의 목표와 동기를 찾는 것마저도 유저들에게 넘겨버리는 이 무책임한 게임들이 출시로부터 수 년에서 십 수 년이 지나도 사랑받는 것은 우리 모두가 플레이하고 있는 이 게임의 목적을 찾는데 있어서도 시사하는 바가 있다.

샌드박스 게임은 경쟁에서 승리하거나 실력을 키워 비교우위를 만드는 과정에 초점을 두지 않는다. 대신 무한한 창의성과 모험심을 자극하고, 결국 플레이어 자신이 가장 행복하고 재미있는 플레이 방식을 찾아가도록 한다. 게임 속에 명료한 콘텐츠가 없다는 것이 가장 확실하고 멋진 콘텐츠가 된 셈이다. 역설적이지만 동시에 퍽 낭만적이지 않은가?

당신이 플레이하고 있는 이 게임은 기본적으로 샌드박스 게임이기 때문에, 당신은 플레이어로서 어떤 플레이 방식을 고를지 매 순간 선택해야 한다. 주어진 선택지가 제한적이라 느껴질 때도 있을 것이고, 어떤 순간에는 다른 플레이어로부터 선택을 강요받을 수도 있다. 그러나 확실한 건 선택을 미루는 것마저 선택의 범주에 들어간다는 것, 당신의 선택 하나하나가 모여 플레이방식과 이 게임의 의미를 결정한다.

0-2 성게이머설性Gamer說 : 내추럴 본 게이머

만약 어떤 사람이 문득 한 아이가 우물에 빠지는 것을 보게 된다면 깜짝 놀라 달려가 구하려 하지 않겠는가. 왜 그러겠는가. 아이를 구해 아이의 부모와 교분을 맺기 위해서겠는가, 마을 사람들과 친구들로부터 칭찬을 받기 위해서겠는가, 어린아이의 비명소리가 듣기 싫어서겠는가. 단지 그를 측은히 여기는 마음이 절로 일어나기 때문이다.

- 맹자

사람의 본성은 악한 것이다. 선한 것은 인위적인 것이다. 사람의 본성은 태어나면서부터 이익을 추구하는데, 이 본성을 그대로 따르면 다투고 빼앗는 마음이 생기고 양보하는 마음이 사라진다. 사람에게는 태어나면서부터 질투하고 미워하는 마음이 있는데, 이 본성을 그대로 따르면 남을 해치는 마음이 생겨나 성실과 신의가 없어진다…(중략)…따라서 반드시 교화나 예의로서 인도해야한다.

- 순자

사람의 본성은 본디 선한가, 악한가? 인간의 본성에 대한 논의는 끊임없이 이루어지고 있다. 이런 철학적 소재들은 자연과학과 달리 정해진 답이 없다. 덕분에 과거부터 수많은 학설이 탄생해 왔는데, 난 이 책에서 새로운 설을 하나 제기하고자 한다. 바로 성게이머설性Gamer說이다.

기억을 더듬어보자. 기억 속 언젠가 당신은 새로운 게임을 하기 위해 다운로드를 마쳤다. 바탕화면에 뜬 게임 아이콘을 더블클릭하자, 마우스가 모래시계로 바뀌고, 곧 화면이 검게 변했다. 그 순간 당신은 어떤 기분이었나? 새로운 게임에 대한 호기심, 과연 어떤 이야기가 펼쳐질까… 하는 기대, 재미없거나 별로인 경험을 하면 어쩌나? 하는 약간의 두려움, 미지의 세계 앞에서 갖게 되는 작은 모험심. 이런 수많은 감각들이 모여서, 터지기 일보직전의 상태였을 것이다. 나는 모든 사람들이 이런 상태로 세상에 태어난다고 생각한다. 당연하다. 이 책의 컨셉에 따르면, 이 세계는 게임 같은 것이 아니라 그냥 게임이니까. 게임을 시작할 때의 마음가짐이란 딱 게임을 시작할 때의 마음가짐일 수밖에 없지 않은가.

내가 게임 속에서 어떤 역할을 하게 될지는 알 수 없지만, 게임을 시작할 때 가지는 복잡미묘한 감정이란 모든 게이머들이 느끼는 것이다. 그 상태의 사람은 선하거나 악하다고 재단할 수 없다. 태어날 때 사람은 새로운 게임의 스타트 버튼을 누르기 직전의 어린 아이와 같은 마음으로 삶을 시작할 뿐이다. 낳아준 부모님의 손길, 온기, 봄날에 내리쬐는 따스한 햇살과 비 오는 날 아주 살짝 소름이 돋을 정도의 한기, 지구를 함께 채우는 많은 동식물들과, 필연적으로 부딪힐 갈등과 해프닝들. 이 모든 미지의 콘텐츠들 앞에서 사람은 선도 악도 아니다. 단지 생각한

음… 시작은 탄막 피하기 게임인가?

것보다 더 좋은 게임이길, 더 즐겁고 재미있게 플레이할 수 있길 바라는 마음만 갖고 있는 셈이다.

게임을 하다보면, 늘 원하는 대로 플레이할 수 없다는 것을 알게 된다. 처음에는 누구나 자신이 생각하는 이상적인 플레이를 추구하지만, 게임이 진행되면서 처하게 되는 여러 가지 상황 속에서 플레이 방식은 변하기 마련이다. 뭐, 치트키를 쓰면 또 다를 수 있겠다. 다만 잘 풀리기만 하는 게임에 얼마나 깊은 감회가 있을지도 생각해 볼 문제다.

《배틀그라운드》는 최대 100명의 플레이어가 가상의 공간에 함께 떨어져, 최후의 1인이 살아남을 때까지 배틀로얄을 벌이는 게임이다. 전투력도 중요하지만 가장 중요한 것은 끝까지 살아남는 것이다. 운이 좋다면 손에 피 한 방울 묻히지 않고도 1위를 차지(게임 속에서는 '치킨을 뜯는다'고 표현한다)할 수 있다. 그러나 매 게임마다 주어진 목숨은 하나뿐이고, 살아남는 과정에서 어떤 아이템과 유저를 마주치게 될지도 알 수 없다. 파밍한 아이템이 변변치않거나 많은 적들에게 둘러싸인 형국이라면 바닥에 납작 엎드려서라도 살아남기를 기도해야 한다. 정정당당하게 싸우는 대신 적의 뒤를 노릴 수도 있다. 나 대신 죽은 동료의 아이템을 취해 나아갈 수도 있다.

이런 일련의 플레이들이 언뜻 고결하거나 추해보일 수는 있을지언정, 선악을 구분할 순 없을 것이다. 나와 당신을 비롯한 모든 플레이어들은 그저 자신에게 더 즐거운 게임을 하고 싶다.

결국 우리가 갖고 태어나는 거라곤… 처음 경험하는 지름 4만 킬로미터의 구체 위에서 우리는 조금이라도 더 행복하고 싶은 바람뿐이다. 꽤 그럴듯하지 않은가?

THIS LIFE 100%

1

이 세계가 게임이라는 증거들

Log In

거창하게 프롤로그를 마쳤지만, 우리가 살고 있는 이 현실세계가 단순히 정교하게 구성된 게임일 뿐이라는 사실은 쉽게 받아들이기 힘들다. 물론 독자 여러분이 내가 하는 얘기를 진심으로 받아들일지 아닐지 여부는 나한테 그리 중요한 것이 아니지만… 학교에서 배웠듯, 어떤 주장에는 필연적으로 뒷받침되는 근거가 있어야 하기 때문에, 첫 장에서는 '이 세계가 게임이라는 증거들'을 몇 가지로 추려 설명하기로 한다.

1-1 잠의 존재 : 일종의 셧다운제

잠은 종종 에너지를 절약하는 것으로 여겨졌으나 실제로는 신진대사를 약 5~10%만 줄일 뿐이다. 수면의 목적과 기제는 부분적으로만 확인되었으며 아직도 활발한 연구의 대상이다.

- 위키백과 한국어판, '잠' 중에서

단면실험으로 아는 바와 같이 수면이 사람이 살아가는 데 있어서 필요하다는 것은 분명하나, 왜 필요한가에 대해서는 아직 완전히 알지 못하고 있다.

- 두산백과, '수면의 이유' 항목 중에서

이 세계가 게임이라는 주장에 힘을 실어주는 큰 이유 중 하나는 바로 '잠'의 존재다. 사람은 인생의 $\frac{1}{3}$을 수면상태로 보낸다고 한다. 현생인류뿐 아니라 과거 호모 에렉투스나 네안데르탈인도 잠을 잤고, 나아가 모든 동물이 일정한 시간마다 잠을 자게끔 되어 있는데… 웃긴 사실은 지구의 어느 누구도 '잠이 반드시 필요한 이유'에 대해 정확히 알지 못한다.

놀랍지 않은가? 우리가 거의 매일 하고, 할 때마다 매번 몇 시간씩 필요로 하는 데다, 크게 보면 인생의 3할을 쓰는 일이 있는데, 그 일을 해야 하는 이유를 모른다는 사실이. 부디 여기서 '안 자면 죽으니까' '잠을 못 자면 피곤하잖아' 같은 생각은 하지 않길 바란다. 여기서 제시하는 의문은 왜 안 자면 죽는지, 왜 못 자면 피곤해지는지 하는, 좀 더 근본적인 영역이니까.

세상에는 놀라울 만큼 똑똑한 사람들이 많다. 그런데 그 똑똑하다는 사람들도 매일 밤 이유를 모른 채 잠이 든다. 잠을 자는 이유를 알기에는 인류가 너무 멍청해서일까? 아니면 아직 과학의 발전이 충분히 이루어지지 않아서일까? 과학이 아닌 인문학이나 철학은 답을 제시해줄 수 있을까? 우리가 잠을 자는 이유에 대해서, 인류 역사상 손에 꼽히는 문호와 철학자는 다음과 같이 언급한 바 있다.

우리는 꿈의 재료이며 우리의 짧은 인생은 잠으로 둘러싸여 있다.

- 셰익스피어

수면은 차용해 온 한 조각 죽음이다.

- 쇼펜하우어

안타깝지만, 둘 다 틀렸다. 잠은 그냥 우리가 하고 있는 게임에서 만든 '플레이타임 제한 시스템'이기 때문이다. 어떤 게임이든 지나치게 오래하는 것은 위험하기 때문에, 이 게임은 보통 한 번 플레이할 때마다 16~18시간을 넘기지 않도록 설정되어 있다. 말하자면 일종의 '셧다운shutdown제' 개념이다. 그러니까, 결국 잠자리에 드는 것은 이 게임에서 로그아웃하는 행위다. 이 게임은 몰입도를 높이기 위해 로그아웃 상태에서의 기억을 영상형태의 암호로 변환한 뒤 시간차를 두고 단계적으로 제거한다. 흔히들 꿈이라 부르는 현상의 정체다. 아주 생생한 꿈을 꾸더라도 몇 시간 뒤에는 완전히 잊거나 몹시 추상적으로만 떠오르는 이유가 이것이다.

몰입도가 너무 높잖아

1-2 조금 엉성한 빅뱅이론 : 너무 대충 둘러댄 것 아닌가

대폭발(大爆發) 또는 빅뱅(Big Bang) 은 천문학 또는 물리학에서, 우주의 처음을 설명하는 우주론 모형으로, 매우 높은 에너지를 가진 작은 물질과 공간이 약 137억 년 전의 거대한 폭발을 통해 우주가 되었다고 보는 이론이다.

- 위키백과 한국어판, '잠' 중에서

사실 빅뱅이라는 이름은 영국의 천문학자 프레드 호일이 1950년에 창조의 순간이 존재했다는 주장을 깎아내리려고 만들어낸 용어였다.

- 정갑수, 『세상을 움직이는 물리』 중에서

빅뱅에서 '뱅'은 우리말로 '꽝' 정도에 해당되는 의성어다. 빅뱅은 직역하면 '큰 꽝' 정도의 웃기는 말이다.

- 네이버캐스트, '지구과학산책' 중에서

인류의 대부분이 '빅뱅이론'을 신뢰하다 못해 실제로 일어난 사실인양 취급한다. 그러나 빅뱅이론은 우주탄생의 비밀을 설명하는 수많은 이론 중 하나일 뿐이다. 이름에도 떡하니 '이론'이라고 나와 있지 않은가. 이론은 가설로 이루어져 있고, 더 설득력 있는 논리구조가 등장하면 언제든 교체될 수 있다.

물론 기술의 발전을 통해, 이론이 자연적인 사실로 인정받는 경우도 있다. 피타고라스와 아리스토텔레스가 주장하던 시기만 해도 지구구형론은 하나의 이론에 불과했으나, 인류가 현대로 접어들면서 인공위성을 쏘아올려 '둥근 지구'의 사진을 찍음으로써 사실이 된 케이스다.

그러나 빅뱅이론은 지구가 둥글다는 것처럼 과학적 사실로서 증명된 바가 없다. 누가 빅뱅 5초전으로 돌아가서 빅뱅이 일어나기 직전 우주 사진을 찍어온 것도 아니니까. 아니, 빅뱅이론에 따르면 빅뱅 이전에는 시간개념도 없었으니 빅뱅 5초전이라는 것도 무의미한 가정이다. 아무튼 이론에 대한 도전은 너무나 자연스러운 것이고, 인류의 발전을 위해 반드시 필요한 요소이기도 하다.

어쩌면 빅뱅이론의 대중성과 스타성이 사람들의 도전

정신을 죄 꺾어놓았을지도 모르겠다. 빅뱅이라는 이름이 얼마나 찰지고 매력적인가? 대한민국에는 동명의 아이돌 그룹이 있는데다, 유명한 미국 시트콤 시리즈의 제목으로 차용되기도 했다. 그러나 빅뱅이론의 핵심내용이란 기껏해야 '어느 날 갑자기 쾅! 하더니 우주가 생겼음ㅋㅋ'이다. 물론 알아보면 이론적 근거가 많이 깔려 있지만, 의외로 설명이 부족한 부분도 많다. 난 천체물리학자들이 세계가 게임이라는 걸 그럴 듯하게 얼버무리려 하는 작전세력일 가능성도 있다고 본다.

1-3 쓸데없이 너무 넓은 우주 : 낭비는 본능이다

우주에 만약 우리만 있다면 엄청난 공간의 낭비겠죠.

If it's just us, it seems like an awful waste of space.

- 영화 《콘택트 Contact, 1997》 중에서

우리는 어디까지 갈 수 있을까요? 글쎄요? 국부은하군 밖에 못 갈 겁니다. 인류가 갈 수 있는 가장 먼 거리죠. 엄청난 크기인 것 같지만 우주에서 국부은하군이 차지하는 크기는 고작 0.00000000001%일 뿐이죠. 그 넓은 우주의 대부분을 갈 수 없다는 사실이 놀라울 뿐입니다.

- Kurzgesagt – In a Nutshell, 'How Far Can We Go? Limits of Humanity' 중에서

그렇다. 솔직히 말해서 우주는 너무 크다. 물론 맵이 쓸데없이 넓기로 유명한 게임도 더러 있다. 《엘더스크롤》, 《마인크래프트》, 《노맨즈스카이》 등. 그런데 우리 우주는… 커도

지나치게 크다. 외계에 다른 게임 서버가 구축되어 있을 확률이 없지는 않지만, 그걸 다 고려하더라도 쓰잘데기 없이 넓은 건 사실이다. 우주의 전체 크기를 우리 은하 정도로 줄여도 여전히 넓다. 우리 은하의 모든 별만 가보는 데에도 오조오억 년은 걸릴 것이다. 지금까지 인간이 발을 디딘 천체라곤 달 하나뿐이다.

아직 베타버전 아닐까 하는 느낌이 든다. 딴에는 채울 만한 콘텐츠가 준비되어 있어서 이 넓은 우주를 만들다가 얼리 엑세스로 지구만 살짝 오픈했는데 뜻밖의 흥행을 한 케이스일 수도 있다. 우주는 우리가 생각지도 못한 수많은 콘텐츠로 빠득빠득 채워질 예정일지도 모른다.

그렇지만 운영진 측에서 간과한 것은 인류가 예상이상으로 똑똑하다는 것이겠다. 콘텐츠가 준비도 안 됐는데 로켓인지 뭔지를 만들어서 우주로 빠져나올 줄 누가 알았겠냐고. 인간이 달에 갈 수 있었던 것은 계산착오였을지 모른다. 그렇지 않고서야 달이 토끼도 떡도 없는 허허벌판 황무지의 둥글고 거대한 돌덩어리라는 것을 어떻게 받아들여야하는가? 난 못한다.

더 확실하게 막아놓든가

1-4 교묘한 물리엔진 : 그냥 받아들였으면 좋았을 것들

신이 왼손잡이라니 믿을 수 없다.

I cannot believe God is a weak left hander.

- 볼프강 파울리, 베타붕괴에서 전자들이 왼쪽으로만 나온다는 사실에 대해

자연과학을 연구할 때 가장 답답한 것이 '이게 ×발 왜 이렇게 돼있지?'라는 궁금증을 해소할 수 없다는 점이라고 한다. 계속 파고들어가다 보면, 언젠가는 '이미 짜여 있는 자연법칙'을 고스란히 받아들여야 하는 영역이 나온다. 우주에 중력이 왜 있느냐? 전자기력과 약력과 강력은 또 왜 있냐? 분자와 원자들은 왜 그렇게 생겨먹었고, 전자는 또 왜 왼쪽으로만 기어나오나? 흠?

왜긴 왜야, 게임 설정이 그렇게 돼있기 때문이다. 게임의 물리엔진은 자연스럽고 원활한 게임구현에 큰 역할을 하는 요소다. 그냥 이 게임의 물리엔진이 그렇게 생겨먹

은 것이다. 그러나 운영진은 여기에서도 작은 실수를 했다. 설마 설마 유저들이 물건을 쪼개고 쪼개서 분리되지 않는 지경을 찾고, 그걸 오지게 관찰하고 연구할 줄은 몰랐던 것이다.

왜 그런 쓸데없는 짓을 하지? 글쎄, 인간이라는 게 원래 그런 동물이라는 답변밖에는….

말하자면 더미데이터 같은 건데

1-5 복잡 미묘한 인간의 존재 : 어쩌다가 이런 생명체가

대부분의 다른 영장류와 같이 인류는 사회적 동물이다. 하지만 인류는 다른 영장류와 구별되는 언어라는 고도의 의사소통 기술을 사용하여 지식의 전달이 다른 영장류와는 비교하기 힘들만큼 고차원적이며 또한 이로 인해 거대한 규모의 복잡한 사회구조를 이룰 수 있게 되었다.

- 두산백과, '인류' 항목 중에서

풀밭을 걸어가다가 돌 하나가 발에 채여, 그 돌이 어떻게 거기에 있게 되었는지를 묻는다고 가정해 보자. 내가 아는 한 그 돌은 항상 거기에 있었다고 답할 수 있을 것이다. 그러나 내가 땅에서 시계를 발견했고, 그 시계가 어떻게 거기에 있게 되었는지를 묻는다고 가정해 보자. 앞에서 했던 것처럼 시계가 언제나 거기에 있었다는 답은 거의 생각할 수 없을 것이다. 반대로 시계의 모든 부품들의 정교한 조합은 우리로 하여금 다음과 같이 결론 내리게 만든다는 것이다. 그 시계는 제작자가 있어야만 한다. 우리가 실제로 발견한 그 목적을 위해서 시계를 만들고 시계의 구성을 이해하고 시계의 용도를 의도해서 만든 한 기술자 또는 여러 명의 기술자들이 있어야만 한다.

- 윌리엄 페일리, 지적설계를 주장하며

약 45억 년으로 알려진 지구의 역사. 그 속에는 이루 셀 수 없이 많은 종류의 생물이 있었다. 박테리아 같은 미생물부터, 팔이 짧아 슬픈 티라노사우르스까지. 그러나 그 중에서 가장 이질적이고 특별한 종을 꼽자면 단연 인간일 것이다. 만물의 영장이라고까지 불리는(그래봤자 같은 인간이 한 말이지만) 우리 인간에게는 다른 동식물들과 어떤 본질적 차이가 있었을까?

감정을 느끼고 스스로 사유할 줄 아는 동물이기 때문에, 신에게 사랑받는 피조물이기 때문에, 두 발로 걸어 다닐 수 있기 때문에 등등… 철학, 신학, 진화생물학에 이르기까지 수많은 학문이 '인간만이 이렇게 다른 이유'를 설명하기 위해 안간힘을 써왔다. 종교적인 관점에서는 인간이 가진 '환원할 수 없는 복잡성irreducible complexity'을 이유로 어떤 절대적인 존재에 의해 설계됐다는 지적설계설을 내놓기도 했지만… 절대적인 존재가 설계한 것치곤 꽤 비효율적이고 미숙한 부분이 많아 보인다. 당장 사랑니, 꼬리뼈, 쇄골처럼 이렇다 할 기능도 없는 주제에 여러 사람 짜증나게 만드는 것들이 꽤 있지 않은가.

'전지전능한 녀석치곤 허점이 너무 많다!'라는 이유로 지적설계설은 상당부분 박살났다. 그러나 이 모든 것이 게임이라 가정한다면 지적설계설은 일부분 맞는 이야기가 된다. 차이가 있다면 설계자가 '전지전능'하지 않고 그냥 '전능'할 뿐이라는 것! 상상해 보자. 당신이 이런 거대한 게임 속 우주를 창조해낸 천재 개발자라면 어땠을까? 우주를 만들긴 만들었지만, 실제 플레이어들이 좋아할 만한 콘텐츠를 구상하고 기획하는 데는 꽤 많은 시행착오가 있었을 것이다. 말 그대로 전능하지만 전지하지는 않았던 것이다.

처음에는 제 혼자 꾸물대는 단세포 생물을 만들다가, 너무 단순해서 흥미가 떨어진다 싶으니 시간을 들여 더 복잡한 것들을 만들기 시작했을 것이다. 곤충 비슷한 걸 만들었는데 너무 징그러워서 인기가 없다. 그래서 대따 큰 파충류를 만들었더니 멋은 있지만 게임이 너무 단순해지는 문제가 있다. 약하면 잡아먹히고 강하면 살아남는 그 딴 운빨×망겜이 뭐가 재밌냐? 고민 끝에 주인공은 포유류로 결정한다. 생긴 것도 적당히 징그럽고, 크기도 대충 알맞다. 결정은 끝났으니 대규모 업데이트로 게임을 한 번 뒤엎기로 한다. 이벤트는 뭐가 좋을까? 그래! 소행성을 떨어뜨리면 되겠다!

전능한 멍청이

대멸종에서 살아남은 포유류 중에서 원숭이 같은 놈들을 키워 보기로 한다. 어떻게 하면 얘네로 더 재밌게 게임을 할 수 있을까? 이빨도 여러 개 붙여 보고, 꼬리도 달았다가 없애보고, 괜히 수북했던 털도 깎아 본다. 그러고 보니 얘들 손만 좀 자유롭게 만들면 게임이 다채로워질 것 같은데? 그래서 두 발로 걷게 만들었더니 그게 게임 대히트의 시작이었다. 그 이후로는 유저들이 만들어 가는 게임. 자유로운 두 손으로 불을 쓰고, 도구를 만들고, 건물을 짓고, 별 걸 다한다. 개발자 입장에선 생각지도 못한 방향이긴 하지만… 많은 유저들이 열광하니 알이즈웰, 하쿠나마타타, 굿이나 보고 떡이나 먹자판이다. 원래 히트 콘텐츠란 생각지 못한 곳에서 튀어나오는 법이다.

1-6 개입하지 않는 신 : 일해라 운영자

> 신이 있다면, 나는 그 신이 되고 싶지 않다. 세상의 비극이 내 가슴을 찢을 것이기 때문이다.
>
> \- 쇼펜하우어

> 자비롭고 전능하신 신께서 맵시벌을 창조하실 때 일부러 털애벌레의 살아 있는 몸뚱이를 먹도록 하셨으리라고는 도저히 납득하지 못하겠다.
>
> – 찰스 다윈

신은 존재하는가, 존재하지 않는가? 만약 존재한다면 그 신은 선한가, 악한가? 동서고금을 막론하고 절대적 존재에 대한 추정은 인류의 역사에서 늘 이어져온 소재다. 신의 존재와 선악을 논하는 것에 어떤 의미가 있을까? 만일 성경에 나오는 '인간을 사랑하고 아끼며, 어떤 잘못이든 용서해주는 자애로운 신'이 실제로 존재한다면, 우리가 삶에서 목도하고 경험하는 모든 비극은 일어나지 않아야 하는 것 아닌가? 어째서 세계의 절반은 굶주리고, 어떤 곳에선 무기를 들어 서로를 죽이고 상처 입히며, 사랑하는 사람이 병이나 사고로 목숨을 잃는 아픔을 겪거나, 거세당한 채 하루하루 죽어가는 삶을 살아가는 일들이 발생하는가? 자신의 피조물들이 괴로워하는 걸 보며 즐기는 사디스트 신이 존재한다고 믿는 것보다는 차라리 무신론자가 되는 것이 더 편하게 느껴진다.

그럼에도 불구하고 신이라는 절대적 존재의 가정 없이는 이 우주가 '어떤 방식으로' '왜 생겨났는지'에 대한 근원적 질문에 답 비슷한 것조차 낼 수 없다. 인간의 존재적 불안감을 해소하기 위해 신이 존재한다고 한다면, 애초에 신의 선악을 구분하는 것에 의미가 있을까? 혹자는 신을 우주 너머에서 우리를 내려다보고 있는 어린아이와 같은 존재라고도 한다. 버릇없는 놈 같으니. 뭘 내려다보고 있는 거야.

그러나 이 모든 것이 게임이라고 하면 간단하게 설명된다. 게임에서 신이라고 하면 게임기획자 내지 게임마스터, GM이다. 롤플레잉 게임을 해본 사람이라면 알다시피, 게임기획자는 게임 속 콘텐츠를 마냥 아름다운 것으로만 채우지 않는다. 오히려 스토리 진행을 위해 문제 상황을 일부러 만들어 내고, 명확하면서도 복잡한 대립구도를 임의로 만들어 유저 간 갈등을 조장하기도 한다. 정말로.

일례로 세계에서 가장 인기 있는 유료 MMORPG로 기네스북에 기록된 게임, 《월드오브워크래프트World of Warcraft : WoW》에서는 호드와 얼라이언스라는 두 세력의 대립을 그리고 있다. 유저는 이 두 세력 가운데 하나를 선택해 스토리를 진행하고, 어떨 때는 상대 세력의 유저와 전쟁을 벌이기도 하는데, 이 대립구도가 얼마나 정교하게 잘 짜여 있는지 각종 온라인 커뮤니티에서도 호드가 옳네, 얼라가 낫네 갑론을박이 이루어지곤 한다.

그런 와우의 세계관에서 소위 '신'이라고 부를 수 있는 존재는 게임을 기획한 디자이너들과 운영자인 셈이다. 과연 게임사 직원에 불과한 이 사람들에게 선하거나 악하다는 평가를 내리는 것이 합당한가? 당연히 아니다! 이들의 목적은 플레이어들이 최대한 게임에 몰입할 수 있도록 콘텐츠를 구성하는 것이지, 게임 속 세계를 유토피아로 만들어서 모든 캐릭터들이 행복하게 살게끔 하는 것은 아니기 때문이다.

'개입하지 않는 신', '절대적인 존재임에도 우리 세계에 개입하지 않는 이유'도 꽤 그럴듯하게 설명된다. 게임 기획자와 운영자는 게임의 원활한 운영을 돕는 입장이지, 게임에 적극적으로 개입해 특정 유저의 플레이를 돕거나 방해하는 역할은 아니기 때문이다. 이 말인즉 게임 운영에 치명적인 문제가 생기지 않는 이상 쓸데없이 개입할 필요가 없다는 뜻이고, 오히려 게임은 플레이어들의 몰입도가 중요하니만큼 최대한 방관자적 입장에서 바라볼 필요가 있다는 것이다. 막말로 괜히 관리질하다가 플레이어들이 '어 이거 혹시 게임 아니야?'하고 눈치채버리면 큰일 아니겠는가.

이런 관점에서, 어쩌면 인간을 끊임없이 괴롭히는 만악의 근원들 -암, 자연재해, 전쟁, 미세먼지, 모기와 바퀴벌레, 지구온난화, 저스틴 비버 등- 은 이 게임의 난이도를 적정 수준으로 유지하기 위한 장치이자 콘텐츠일지도 모르겠다.

그러니 이 세계라는 게임에서 '신이시여, 어째서 제게 이런 시련을…' 이라 말하는 건 아무 짝에도 쓸모가 없다. 신이 그걸 들어봤자 할 수 있는 말이라곤, '뭐… 게임이잖

숨은 쉬게 해줘야지 미친 운영자 새X야!

아?' 정도가 아니겠는가. 그게 싫으면 애초에 게임을 시작하지 말았어야지, 라고 하기엔 스스로 게임을 시작한 기억이 없으니 억울한 측면이 있다. 유감이다.

THIS LIFE 100%

2

그런데
게임의 상태가…?

••••••

Log In

2-1 스탯 재분배가 안 된다 : 낙장불입

플레이어 J의 결혼생활은 끔찍했다. 도망치듯 이혼 서류에 도장을 찍은 J에게 남은 거라곤 젖먹이 딸과 엉망이 된 커리어, 허름한 단칸방, 그리고 우울증이었다. J는 끔찍한 삶 대신 비참한 삶을 얻었다. 매주 몇 푼 안 되는 정부보조금으로 생활하면서, 하는 일이라곤 기약 없이 글을 쓰는 것뿐이었다. J는 삐걱거리는 유모차에 아기를 태우고 산책을 나갔다. 그러다 아기가 잠들면 근처 카페

에 틀어박혀 글을 쓰기 시작했다. 값싼 커피만 한 잔 주문해 놓고, 구석자리에 앉아 글을 썼다. J는 객관적으로 한심한 사람이었다. 분유 때문에 끼니도 해결하지 못하는 여자가 글이라니. 그 시간에 좀 더 생산적인 일을 하면 어떻겠느냐, 아기를 위해서라도. 주위 사람들의 만류에도 J는 끄떡없었다. 그놈의 글이 뭐기에.

인생은 실전이다. 엔트로피는 증가하고, 흘러간 시간은 절대로 다시 돌아오지 않는다. 당연히 저지른 일이나 내뱉은 말을 주워 담을 수도 없으며, 한 순간의 잘못된 선택이 돌이킬 수 없는 결과를 만들어내기도 한다. 그게 이 게임의 가장 엿 같은 점이다.

게임에서 스탯 재분배가 안 된다는 점은 꽤 큰 문제다. 후술하겠지만 이 게임은 원 라이프 플레이 방식으로, 한 번 죽으면 리스폰도 없이 그냥 끝난다. 그런데도 스탯 재분배가 없다니? 게임을 하다가 플레이어가 마음이 바뀌어 다른 플레이 방식으로 전환하는 것은 너무나 자연스러운 현상이다. 처음에는 생각 없이 전사로 키우다가, 나중에 문득 마법이 멋있어 보여서 법사로 바꾸고 싶을 수 있는 일이다. 게임 좀 했다는 사람이라면 누구나 비슷한 감정을 느껴본 적이 있을 것이다. 보통 그럴 땐 부계정을 만들거나, 스탯을 재분배하여 직업에 맞게 캐릭터의 능력치를 다시 설정하곤 하는데…. 알다시피 이 엿 같은 게임에는 부계정도, 스탯 재분배도 없다.

그래서 만약 당신이 자신의 흥미와 관심이 일치하는 천직을 깨닫더라도, 기존의 스탯이 딴판으로 찍혀 있다면 대부분 포기할 수밖에 없다. 뒤늦게 그 일에 맞는 스탯을 찍기 시작한다 해도, 어렸을 때부터 그 일 관련 스탯에 몰빵해온 플레이어들과는 이미 어쩔 도리가 없는 격차가 생겨 있기 때문이다.

하다못해 이 게임은 시작할 때의 스탯도 결정할 수가 없다. 이를테면, 《메이플스토리》라는 게임에는 캐릭터를 생성할 때 주사위를 굴려 시작할 때의 스탯을 결정하는 시스템이 있었다. 대부분의 플레이어들은 이 주사위의 중요성을 모르고 있다가, 레벨이 꽤 올라 특정 직업으로 전직할 때가 되어서야 깨달았다. 생성시점에서 주사위가 결정해주는 스탯 몇 개의 차이가 '어떤 직업으로 갔을 때 얼마나 유리하게 플레이할 수 있는지'를 판가름했던 것이다. 그래서 보통은 자신이 키운 캐릭터의 스탯이 원하는 직업에 불리하게 찍혀있는 경우, 캐릭터를 다시 만든다. 주사위를 한 시간 넘게 돌리면서 이른바 '황금스탯'이 나올 때까지 뺑뺑이를 도는 것이다.

그런데 우리 모두가 플레이하고 있는 이 게임은 주사위가 정해준 스탯을 본인도 정확히 알 수 없다. 뿐만 아니라 재생성도 불가능하고, 주사위조차 마음대로 굴릴 수 없다. 그냥 주어진 대로, 정해진 대로, 망했으면 망한 상태 그대로 계속 플레이를 지속해야 하는 것이다. 정말 심보 고약한 게임이 아닐 수 없다.

뭔가 이상한데 지능이 낮아서 납득해 버렸다

2-2 조정 불가능한 플레이타임 : 켠 김에 무덤까지

인생은 짧고, 예술은 길며, 기회는 순식간이며, 경험은 믿을 수 없고, 판단은 어렵다.

Life is short, art long, opportunity fleeting, experience treacherous, judgement difficult.

- 히포크라테스

플레이어 K는 모든 것이 무료하게 느껴졌다. 책을 읽을 때, 노래를 부를 때, 사람들의 열광적인 사랑과 환호를 받을 때, 사랑스러운 아내와 꼭 닮은 딸을 지켜볼 때. K는 자신에게 주어진 것에 감사할 줄 아는 사람이었다. 그러나 감사한 마음이 곧 모든 일에 대한 열정과 행복을 가져오는 건 아니었다. 반복되는 일상. K는 사람들 앞에서, 사람들이 원하는 K의 모습을 능청스레 연기하는 일이 싫었다. 쏟아지는 사람들의 선의와, 즐기지 못하는

자신의 모습 사이의 괴리감은 K의 정신을 난도질했다.

K에게 마지막 바람이 있다면, 주어진 모든 세상에 감사하고 행복해하는 딸이 지금의 K처럼 되지 않는 것 뿐이었다. 깜빡, 깜빡대며 꺼지기 일보직전의 촛불처럼 매일을 살아가는 것. 기름은 바닥이 났다. K는 죄책감의 바다에 빠져 허우적댔다. 어쩌면 손을 잡아끌 누군가가 필요했을지도 모르겠다. 다만 K의 믿음에 따르면, 스스로를 구원할 수 있는 것은 오직 자신뿐이었다.

게임의 적절한 플레이 타임은 어느 정도일까? 명확한 기준은 없다. 세상에는 수많은 장르의 게임이 있고, 각 게임이 갖고 있는 이야기나 방향성도 다르다. 그렇다면 '내가 게임을 하고 있다는 것도 인지할 수 없을 만큼 몰입도가 뛰어난 게임'이 있다고 생각해보자. 그 게임의 적정 플레이 타임은 어느 정도일까? 사실 적정 플레이 타임에 명목을 빼면 대단한 의미가 있는 것도 아니다. 문자 그대로 '적당한 시간'을 말하는 것이지, 반드시 달성해야 하는 목표는 아니다. 보통은 그렇다.

게임이라는 건 취향이 참 다양하게 갈리는 분야다. 대중적으로 큰 인기가 있는 게임이라 한들 어떤 게이머에게는 구리게 느껴질 수 있고, 그래서 평균 플레이타임이 몇 백 시간에 달하는 게임이더라도 몇 분 안하다 꺼버릴 수도 있다. 물론 유료로 구매한 게임이라면 돈이 아까워서라도 계속 하겠지만… 비용을 떠나서 생각해 보자면 모든 게임은 스스로 플레이 타임을 조절할 수 있다는 얘기다. 우리가 하고 있는 지금 이 게임 빼고.

인생은 길다. 게임으로 치면 라이프가 딱 하나밖에 없는 게임인데도, 평균 수십 년 정도는 플레이하게 되는 것 같다. 플레이어가 원하든 원하지 않든 간에… 이게 참 골때리는 일이다. 튜토리얼만 해본 뒤 '어, 이 게임은 내 스타일이 아닌 것 같네. 꺼야겠다'라고 생각하는 경우도 있는 건데. 심지어 이건 플레이 도중에 게임을 하고 있는지 아닌지도 알 수 없다. 게임을 하다 보니 적성에 맞아, 이어서 계속하고 싶어도 할 수 없는 경우도 많다. 덕분에 먼 옛날 진시황이라는 유저는 말년에 여러 사람 괴롭게 만들다가 추하게 게임오버를 맞았다. 원할 때 끌 수 없는 것, 원하지 않을 때 꺼야하는 것도 모두 게임으로서는 치명적인 결함이다.

더욱이 이 게임에서는 게임을 끄고 싶어하는 발상 자체를 죄처럼 여기는 분위기다. 게임을 할 만큼 해서, 더 이상 플레이하고 싶지 않으니 '게임을 접고 싶다'라고 하면 다른 플레이어들은 난리가 난다. '당신은 누구보다 소중한 유저입니다', '당신이 게임을 떠났을 때 슬퍼할 다른 유저들을 생각해 보세요', '접자를 거꾸로 하면 자접이에요' 같

죽는 건 무서운데.. 그냥 계속 할까...

은 말을 쏟아내면서, 단지 게임을 그만하고 싶을 뿐인 사람에게 있는 힘껏 죄책감을 불어넣는다.

글쎄? 맘이 동하지 않는데, 어떻게든 게임을 지속해서 조금이라도 랭킹을 올려 보라는 건 과몰입이다. 게임은 즐기려고 하는 것 아닌가. 즐겁지 않은 게임을 억지로 지속하는 건 고문이다. 해봐서 안다.

2-3 원 라이프 노 데스 : 인생은 실전

아내는 자고 있었다. 플레이어 E는 엽총을 준비했다. E의 기분은 때때로 파도 같았다. 풍랑과 함께 높게 일어나다가도, 금세 잦아들어 고요해지기를 반복했다. 파도가 한창일 때의 E는 전지전능해서, 손끝으로부터 무엇이든 만들어낼 수 있었다. 그러나 고요한 바다에선 아무것도 할 수 없었다. 무풍지대의 가운데, E는 손으로 애써 바다를 휘저었다. 배는 오갈 데 없이 그 자리였고, E는 어느새 백발이 무성한 노인이었다. 하는 수 없지, E는 총구를 겨눴다. 이내 파도는 영원히 멎었다.

사람은 뭘 하든, 어떤 상황에서든 실수를 할 수 있다. 처음 접하는 상황은 더 말할 것도 없다. 하물며 게임을 할 때는 더더욱 그렇다. 오래전《슈퍼마리오》라는 게임을 처음 접했을 때를 기억하는가? 괴상한 버섯 모양의 적과 부딪히면 죽는다는 것, 텅 빈 공간에 떨어지면 화면에서 사라지며 뒈진다는 것, 별을 먹으면 무적상태가 돼서 몇 초 동안 부딪히는 모든 적을 조질 수 있다는 것 등을, 게임 설명서를 일일이 읽어가며 학습한 사람은 많지 않을 것이다. 누군가에게 전해 듣지 않는 이상, 이런 사실들은 직접 게임 내 콘텐츠들과 부딪히면서 수없이 죽고 살아나기를 반복하면서 학습해야 한다.

그런데 이 게임은 한 번 죽으면 끝이다.

이 말인즉 이 글을 쓰고 있는 나와, 어디선가 이 책을 읽고 있는 여러분 모두 원 코인 노 데스 플레이로 끝판까지 쭉 깨야 하는 게임을 하고 있다는 뜻이다. 이게 말이 되는가? 오락실 비행기 게임도 백 원(요즘은 이백 원 아니면 오백 원) 집어넣으면 목숨 세 개는 준다. 중간에 특정 점수를 넘기거나 조건을 만족하면 한 두 개쯤 더 얻을 수도 있다. 그런데 원 코인도 아니고 원 라이프 노 데스 클리어라니. 나 역시 《스노우 브라더스》라면 어느 정도 경지에 오른 인물이지만 원 코인 클리어는 할 수 있을지언정 노 데스 클리어는 버겁다. 내가 못해서가 아니라 정말 힘들다니까.

근데 깨는 사람이 있긴 있더라고

막말로 이 게임에 우리의 목숨을 위협하는 요소가 얼마나 많은가. 각종 질병과 범죄, 자연재해는 물론, 문지방에 새끼발가락 쎄게 부딪혀 쇼크사로도 죽는 것이 바로 우리 인간이다.

이쯤 되면 이런 극악무도한 하드코어 게임을 왜 이렇게 많은 플레이어가 하고 있는지 의문이 들지만…. 《다크소

울》 같은 극단적인 마조히스트 전용 게임도 공전의 히트를 치고 있는 것을 보면 납득이 될지도 모르겠다.

2-4 난이도 조절 실패 : 재랑 같은 게임 하고 있는 것 맞아?

남북격차(南北隔差)는 선진국과 개발도상국 사이의 경제적, 정치적 격차로 인해 발생하는 문제를 말한다. 대부분의 선진국이 북반구에, 후진국이나 개발도상국이 적도 인근이나 남반구에 집중되어있는데서 나온 용어이다.

- 위키백과 한국어판, '남북격차' 중에서

1. 홍 콩 : 83.74

189. 시에라리온 : 50.19

- UN, 남녀 평균 기대수명(2010 – 2015), 세계 인구 현황 보고서 중

플레이어 B가 게임을 시작한 곳은 아프리카의 한 빈민가였다. B의 아버지는 이방인이었다. 젊었던 B의 어머니와 B는 버림받았다. 적어도 B의 생각은 그랬다.

슬럼가에는 B같은 아이들이 많았다. B는 결핍이 연속되는 삶 속에서 홀로 살아남는 법을 배웠다. 일상처럼 반복되는 폭력, 그리고 범죄. B는 살아남기 위해 강해져야 했다.

B가 학교를 그만둔 것은 열네 살 때였다. 생계를 유지하기 위해 용접을 배웠다. 어머니의 수고를 조금이나마 덜어드리기 위해 시작했던 일. 문자 그대로 불꽃 튀는 삶이었다. 그러나 B의 눈에 불빛과 함께 쇳조각이 튀어 들어갔던 순간, 모든 것이 변했다. B의 인생은 송두리째 바뀌었다.

적절한 난이도의 게임을 고르는 것은 중요하다. 잘 알지도 못하고 해본 적도 없는 게임을 헬 난이도로 플레이할 필요는 없다. 그건 게임이 아니라 고문이다. 괜히 제일 높은 난이도 골랐다가 동네 다람쥐한테 짓밟혀 죽는 것보단, 자존심에 금이 가더라도 비기너 난이도로 행복즐겜하는 것이 정신건강에 오십삼만 배는 더 좋다.

그러나 우리들 대부분은 이미 난이도 조절에 실패한 게

임을 하고 있는지도 모르겠다.

한 번 죽으면 끝이다. 중간에 난이도를 바꿀 수도 없는 모양이다. 이럴 줄 알았다면 시작할 때 좀 더 신중하게 난이도를 골랐을 것을. 다만 우리는 이 게임의 근본 자체가 엿같이 어렵다는 사실을 예상하지 못했을 뿐이다.

물리적 고통과 정신적 고통. 게임의 난이도에 더 큰 영향을 미치는 것은 어느 쪽일까? 사람마다 다르겠지만, 객

어떻게 하는지는 알려줘도 되잖아?

관적으로 어느 쪽이 더 어렵다고 단정짓기는 어려울 것이다. 암에 걸리면 차라리 우울증이 낫겠다고 생각하고, 우울증에 걸리면 그냥 암이 낫겠다고 생각하는 법이다. 사람이 원래 그런 동물이다. 굳이 따지자면 물리적 고통과 정신적 고통은 각자 다른 형태로 난이도에 기여한다.

아프리카와 분쟁지역을 포함한 중동, 남미 등은 물리적 난이도가 높다고 볼 수 있다.

편견이 있다곤 하지만 까딱 잘못했다간 하루 밥 세 끼도 제대로 못 먹다 성인이 되기 전에 사망하거나, 소년병으로 징집되어 총알이 빗발치는 곳에서 크게 다칠 수도 있다. 적정 플레이타임은커녕 튜토리얼도 제대로 못 해보고 게임이 끝날 수도 있는 셈이다. 다른 곳에서 태어난들 일찍 죽는 경우가 없는 건 아니겠지만, 평균적으로 더 힘든 경향이 있는 것은 확실해 보인다.

그렇담 적어도 먹고사는 데 지장 없는 나라들, 소위 선진국에서 태어나면 어떨까?

일단 태어나는 것부터가 쉽지 않다. 좀 산다 싶은 나라들은 기존 유저들로도 미어터지고 있어서 자체적으로 유저 수를 조절하고 있기 때문이다. 낮은 확률을 뚫고 선진국에 태어난들 만사 잘 풀리는 것도 아니다. 인간이라는 게 원체 까다로워야지.

욕구단계이론이라는 게 있다. 생리적 욕구로부터 자아실현까지, 인간이 느낄 수 있는 욕구에 단계를 부여해 구분할 수 있다는 이론이다. 간단히 말하면 사람은 배부르고 등 따스우면 딴 생각을 먹게 된다는 말인데, 보다 자세한 내용이 궁금하다면 검색해 보도록 하자. 요즘은 그쪽이 빠르고 정확하다.

인간이란 자아실현에마저 끊임없이 욕구를 느끼는 존재다. 총 안 맞고 밥만 잘 챙겨먹는다고 행복할 수 있다면 헬조선이라는 말은 나오지도 않았으리라. 이렇게 복잡한 만족구조를 가진 인간이, 비슷한 유저가 많아 서로 비교까지 하게 되니 이 게임에 지루할 틈이 있을 리 없다.

정신적 난이도는 또 얼마나 높은가? 운 좋게 선진국에 계정을 만든 유저들이 게임에서 스스로 로그아웃 하는 건 드문 일이 아니다.

결과적으로 물리적 난이도가 됐든, 정신적 난이도가 됐든 사람으로 태어난 이상 이 게임은 헬이다.

어떻게 해야 좀 더 편하게 게임을 할 수 있을까? 어떻게 해야 난이도에 맞게 게임을 할 수 있을까? 생각할수록 불친절하기 짝이 없다. 힌트라도 좀 주지… 음?

2-5 게임 운영의 한계 : 어디든 고인 물은 있다

> 내가 과격하다고? …국가에서 새롭게 창출되는 소득의 대부분을 최상위 1%가 가져가는 상황이야말로 과격하다. 한 집안의 경제적 부가 하위 1억 3천만 명의 재산을 합친 것보다 많다는 현실이 과격한 것이다.
>
> - 버니 샌더스, 2015년 민주당 대선후보 토론 중에서

인간은 꼭 지들끼리 해먹는 습성이 있다. 가끔씩 남 좋은 일 해주면서 행복을 느끼는 변태들도 보이지만 말 그대로 가끔이다. 현실의 게임도 예외가 아니다. 게임하면서 내가 얻은 것을 친한 사람들 하고만 나눠먹는 게 뭐가 문제인가? 억울하면 노력을 하든가.

뭐, 그렇게 생각할 수 있다.

혼자 플레이하고 스토리 모드를 클리어하는 싱글게임에서야 문제없다. 오히려 당연한 일이다. 애초에 그러라고 만들어진 게임이니까. 다만 다중역할이 강조되는 온라인 게임에서는 얘기가 다르다. 나 그리고 내가 속한 집단의

이익을 위한 선택이 다른 유저에게 피해를 주는 경우도 있다. 예컨대, 같이 레이드를 뛰다가 드랍된 유니크 아이템을 직업도 안 맞는 유저가 먼저 스틸한다든가, 중요한 사냥터를 꿰차놓고 다른 유저들이 쓸 수 없도록 독점하는 경우도 있다. 이건 이익추구 자체보다 여러 사람을 빡치게 만드는지가 중요한 이야기다.

대한민국 국민이라면 대부분 《리니지》라는 게임을 알고 있을 것이다. 수많은 아저씨들을 PC방 폐인으로 만들었던 MMORPG. 15년 쯤 전, 그 리니지의 정식 후속작인 《리니지2》라는 게임에서 재미있는 일이 벌어졌다. 《리니지2》에서 가장 사람이 많은 바츠 서버, DK혈맹(타 MMORPG의 '길드'에 대응되는 개념이다)은 바츠 서버에서 가장 강력하기로 악명을 떨치고 있었다.

내로라하는 유저들이 모여 만들어진 DK혈맹은 당시 서버에서 이루어진 모든 공성전에서 승리했다. 점령한 성에 매우 높은 세율을 적용해 다른 유저들의 고혈을 짜냈고, 주요 사냥터 이용을 통제하면서 반발하는 혈맹이나 길드는 모조리 죽였다. 그렇게 모은 막대한 게임머니로 최고의 아이템을 독점, 독보적인 지배집단으로 격차를 점점

벌려갔다. 덕분에 일반 유저는 물론이고, 꽤 큰 혈맹들 역시 입도 뻥끗 못했다고 하니 당시 DK혈맹의 위상이 어느 정도였는지 짐작할 만하다.

많은 유저들이 DK혈맹의 횡포로 인해 게임 플레이에 불편을 겪었고, 정상적인 레벨업조차 불가능한 지경에 이르렀다.

그러나 DK혈맹의 행동이 근본적으로 잘못되었다고 평하기는 애매하다. DK혈맹은 엄연히 게임에서 제공되는 콘텐츠들 –공성전, 세금부과, PK 등– 을 최대한 활용했을 뿐이다. 자신들의 이익을 극대화하기 위해 엄청난 노력을 기울인 것도 사실이다. 상황을 모두 지켜보고 있는 게임마스터 역시 DK혈맹에게 제재를 가할 수는 없는 노릇이었을 것이다. 버그를 이용한 것도 아니고, 게임이용약관에 벗어나는 행위를 하지도 않았으니까. 무엇보다 DK혈맹은 운영진이 나서서 브레이크를 걸기엔 너무 큰 존재가 돼있었다.

그럼에도 불구하고, 많은 유저들이 그런 상황을 만든 DK혈맹에 반감을 갖고 있다는 건 명백한 사실이었다. 똑같은 유저인데, 나도 내 돈 내고 게임하는데(《리니지2》는

이 게임 니네가 만들었냐?

정액제 게임이었다), 왜 같은 콘텐츠를 즐기지 못하는가.

이런 불만이 쌓이고 쌓여서 폭발한 사건이 바로 '바츠 해방전쟁'이었다. 처음 반기를 든 '붉은혁명' 혈맹을 비롯한 중소혈맹과 일반 유저들은 대국적인 연합작전으로 DK 혈맹을 공격했고, 벼랑 끝까지 몰아붙이는데에는 성공했다. 그러나 연합의 내분과 DK혈맹의 반격으로 최후의 승자는 다시 DK혈맹이 됐다.

다만 이 사건 이후《리니지2》의 유저는 지속적으로 줄어들었다. DK혈맹 역시 예전만한 위상을 가지진 못했고, 타 혈맹과의 끊임없는 이권다툼 속에 자연스레 해체됐다. 5년 뒤 서버 내 거대 혈맹이 된 붉은혁명 혈맹이 과거 DK 혈맹과 똑같이 사냥터를 통제하다가 전쟁이 일어났다는 사실은 퍽 씁쓸한 후일담이다.

역사를 좀 공부한 사람이라면, 게임에서 일어난 바츠 해방전쟁이 현실에 있었던 프랑스 혁명과 흡사한 면이 있다는 걸 알 수 있을 것이다. 절대적 권력에 대항해 구체제를 전복하려는 시도였다는 점, 실제로 권력층을 궁지에 몰아넣는데 성공했다는 점, 혁명에 가담한 세력 간에 분쟁이 있었다는 점, 혁명의 주역이 새로운 권력층으로 자리 잡았다는 점 등.

차이라면 단지 몰입도에 있었을 뿐이다.《리니지2》속 고통에서 벗어나려면 게임을 끄거나 접으면 된다. 게임 밖에 현실이 있다는 걸 알고 있기 때문이다. 그러나 우리가 처한 현실의 고통에서 벗어날 수 있는 방법은 무엇이 있을까. 잠과 죽음 정도밖에 없다. 우리의 현실이 무척 잘 만든 게임에 불과할지 모른다는 상상은 여기서 다시 한 번 설득력이 생긴다.

누군가는 게임의 본질이 경쟁이고, 경쟁이 이루어지는 이상 이런 현상을 피할 수 없다고 주장한다. 그게 사실이라면, 이건 운영 측의 잘못이다. 남한테 피해주는 유저는 제재도 먹이고 그래야하는 것 아니냐. 게임 속에 여러 사람 괴롭히는 놈들이 얼마나 많은데. 몰입감 있는 게임 치고 자유도가 높아도 너무 높다. 덜 괴롭도록 몰입감을 줄여주든가, 다른 사람 즐겜 방해하는 놈들을 좀 혼내주든가. 게임 운영이 너무 허접한 것 아니냐고.

THIS LIFE 100%

캐릭터 생성의 정석

●●●●●●

Log In

일반적인 롤플레잉게임을 떠올려보자. 게임을 처음 실행하면, 묘한 그래픽과 함께 게임 제작사의 로고가 보인다. 곧바로 이어지는 시네마틱 오프닝 영상을 다 보고 나면 '아무 버튼이나 누르시오Press any button' 라는 문구가 나온다. 그래서 아무 버튼이나 눌러본다. 보통은 엔터키나 시작 버튼을 누른다. 그 다음에는 뭐가 나올까?

캐릭터 생성이다. 나의 아바타가 되어 함께 모험할 캐릭터의 이름을 정하고, 성별을 정하고, 생김새를 정하고(소위 '커스터마이징'이라고 불리는), 어쩌면 시작할 때의 스탯도 조금 조절할 수 있다. 개인적으로는 하나의 게임에서 가장 설레고 기대되는 순간이다. 앞으로 어떤 세계가 펼쳐

질지, 어떤 색다른 모험과 사람들을 마주하게 될지, 내가 만드는 이 캐릭터가 어떤 이야기 속에서 어떤 역할을 맡게 될지 무한한 상상의 나래를 펼칠 때니까.

그런데 이 게임의 캐릭터 생성 방식은 사뭇 다르다. 아니… 사실은 사뭇 다른 것이 아니라 아예 다르다. 아니! 다르다는 말로 충분한 걸까? 엄밀히 말하면 이 게임은 캐릭터 생성 과정이 없다! 그냥 정신차려보면 생성이 돼있기 때문이다. 요컨대, 모든 것이 랜덤이다. 앞에서 캐릭터를 생성할 때 말한 이름, 성별, 생김새, 스탯… 이 중 어느 것 하나 스스로 결정할 수 없다. 그냥 주어지는 대로 플레이해야 한다.

왜 이렇게 만들었을까? 캐릭터 성별, 생김새… 아니, 적어도 이름 정도는 직접 설정할 수 있어도 나쁠 게 없을 것 같은데. 정확한 이유는 모르겠다. 다만 추측하건대, 이 게임의 캐릭터가 무한히 생성 가능한 온라인 계정이 아니라, 게임 속 플레이어들이 상호작용 속에 만들어지는 일종의 TOtable of organization를 배정하는 것에 가깝기 때문일 것이다.

이 게임에 현재 주어진 세계 －좁게 보면 지구, 넓게 보면 달과 태양계 까지－ 는 무한하지 않다. 행성에 부여된 콘텐츠에는 명백한 한계가 있고, 인류는 스스로 개체수를 조절하지 않으면 공멸할 우려가 있다. 실제로 행성 내 콘텐츠 소모속도가 빠른 지역들은 연고 플레이어들이 자체적으로 캐릭터 TO를 줄이고 있다. 한편 콘텐츠 개발이 더디거나 미공략 스테이지가 많은 지역에서는 TO가 급증하는 현상을 보이기도 하는데, 이 게임의 난이도가 상향평준화되는 데에 상당한 영향을 끼치고 있다(이건 4장에서 더 이야기할 기회가 있을 것 같다).

그러니까, 사실 이 게임은 가챠Gacha, 랜덤박스를 뽑기와 비슷하다. 뽑기 전까지는 뭐가 나올지 전혀 알 수 없다는 부분에서는 완전히 같고, 두 번 세 번 뽑을 수 없다는 점에서는 차이가 있다. 모르긴 몰라도, 포유류의 유성생식, 유전법칙, DNA에 이르기까지, 캐릭터의 속성을 이루는 대부분의 요소가 랜덤이 되도록 심혈을 기울인 건 확실해 보인다. 그래서 정확히 말하면《캐릭터 생성의 정석》이라고 써놓은 이 챕터의 제목은 한참 잘못됐다. 앞으로의 내용은 이미 생성됐고 결정된 캐릭터의 특성에 이렇다 저렇다 말을 늘어놓은 것에 불과하기 때문이다. 나로서는 별 도리가 없었다. 챕터 이름은 그럴듯하게 짓는 것이 관행이니까. 다만 거짓말쟁이로서 희망사항이 하나 있다면, 당신이 지금 당신에게 주어진 캐릭터를 더 잘 이해하고 받아들이는데 있어 아래의 내용이 아주 약간의 도움이라도 되는 것이겠다.

3-1 캐릭터 속성의 분류에 대해

앞서 이 게임의 캐릭터 생성과정은 모두 랜덤이고, 스스로 결정할 수 없다고 언급한바 있다. 그러나 나는 앞선 문단에서 희망적인 사실을 하나 숨겨놓았다.

사실 캐릭터 생성의 요소는 '내가 아무리 애를 써도 결정할 수 없는 것'과 '생각과 다르게 내가 결정할 수 있는 것'으로 나뉜다.

어디까지나 인식의 문제이지만 '생각과 다르게' 내가 결정할 수 있다는 점이 중요하다. 게임 속 캐릭터의 외양이나 능력치를 바꿀 수는 없어도, 컨트롤러의 민감도나 화면밝기 같은 옵션은 조절이 가능한 것과 비슷하다고 할까? 화면밝기 조절이 안 되는 게임이 세상에 어디 있느냐고 묻는다면… 그러게? 그런데 여긴 그렇게 생각하지 않는 사람들이 꽤 많은 듯하다.

3-2 애써도 결정할 수 없는 것

정확한 비유가 아닐지도 모르지만, 굳이 말하자면 '선천적'인 요소들이다. 내츄럴본. 아무리 애를 써도 시작시점에서부터 어쩔 수 없는 영역이다. 순전히 확률이고 불규칙적이며, 그래서 캐릭터 TO를 만들어내는 플레이어 당사자들도 어떤 결과를 낳을지 알 수 없다(실은 낳게 되리란 것도 잘 모르는 경우가 많다). 플레이어들의 기술적 발전에 따라 어느 정도 예측 가능한 영역이 늘어나는 흐름이지만, 아직까지는 랜덤박스의 확률을 대략적으로 추측할 수 있는 정도다.

다음 요소들로 인해, 당신은 때때로 게임플레이에 이득을 볼 수도, 피해를 입을 수도 있다. 어쩔 수 없이 취하게 된 플레이 방식 탓에 공격을 받을 수도 있다. 스스로 결정할 수 없었던 면을 가지고도 왈가왈부하는 플레이어가 여전히 많기 때문이다. 그러나 당부하고 싶은 것은 뒤에 이야기할 요소들 중 그 어떤 것도 캐릭터간의 우열을 의미하지 못한다는 것이다. 다음 속성들은 어디까지나 확률적인 영역에 있다. 의미를 가진다면 어디까지나 플레이 난이도와 스타일의 다양성뿐이다. 어쩌면 당신은 가끔씩, 혹은 종종 '스스로 결정할 수 없었던 것'으로 인해 상처받고, 힘들어 할 수 있다. 그러나 믿어야 한다. 내가 결정할 수 없었던 것은 내 잘못이 될 수 없다.

1. 성별

유성생식을 통해 번식하는 한, 인간은 태생적으로 남성(이하 XY형) 혹은 여성(이하 XX형)으로 태어난다. 양성 간 플레이 방식의 차이는 플레이어가 게임을 시작한 지역 및 소속집단의 성격에 따라 달리 나타나는데, 어느 성을 타고났느냐에 따라 현실적으로 주어지는 선택지나 플레이 방향성에 크고 작은 제약을 받기 때문이다.

최근에는 기술의 발전으로 말미암아 물리적 성별을 변경할 수 있는 옵션이 등장했지만, 태생적 성별에 부여되는 인식구조 등은 변함없이 유지되고 있는 추세다. 다만 염색체 쪼가리 하나 때문에 극단적으로 달라지는 게임구조에 대해서는 플레이어 대부분이 불만을 갖고 있는 모양이다.

만약 당신이 XY형으로 태어났다면, 꽤 다양한 방향으로 게임을 즐길 수 있다. 평균적으로 높은 물리적 잠재력은 개발하기에 따라 게임 플레이에 많은 도움을 줄 수 있으며, 극한상황에서의 생존이나 모험에도 유리하다. 요컨대 XY형은 올라운드 형이다. 독립적으로 일을 처리하는데 능하고 달성과 성취에 대한 욕구가 높다. 뛰어난 지구력 덕분에 짧은 시간동안 많은 작업을 해낼 수 있으나, 그 때문인지 비교적 짧게 플레이한 뒤 게임을 떠나곤 한다.

XY형의 물리력은 추상적인 개념을 실체화하는데 큰 역할을 한다. 그러나 많은 플레이어들이 XY형으로 게임을 시작함으로써 받게 되는 물리적, 경쟁적 압박에 대해 어려움을 토로하기도 한다. XY형은 승자독식형 구조에 자신을 집어넣는 습성이 있다. 이 같은 습성은 XY형으로 하여금 일시적인 자극과 쾌락에 집착하도록 만든다. 본능적으로 경쟁을 통한 쟁취와 정복감에 이끌리며, 때문에 부단한 노력 끝에 목표를 달성한 후에도 스스로를 불행하게 만드는 경향도 있다.

반면, 당신이 XX형으로 태어났다면 꽤 귀찮게 플레이해야한다는 걸 의미한다. 가장 성가신 것은 아무래도 한 달에 한 번씩 찾아오는 심신의 고통이다. '왜 하필이면 한 달에 한 번으로 설정이 돼있는지'에 관해서는 여러 가지 속설이 있다. 인간의 번식욕구를 과대평가했거나, 번식과 쾌락 행위를 구분할 줄 미처 예상치 못했다거나, 애초에 XX형 플레이어의 게임난이도를 중상급 이상으로 기획해 놨다거나, 그냥 생각 없이 결정한 것 같다거나…. 아무튼

별다른 이유도 없이 매달 찾아오는 감정적 동요와 고통으로 인해, XX형의 물리적 안정성이 상당히 떨어지는 것은 사실이다.

XX형은 물리적 플레이에 너무 불리하다는 이유 때문에, XX형이 캐릭터로 전환되기도 전에 플레이어들이 자체적으로 제거해버리는 일도 잦았다. 뿐만 아니라 XX형에게 주어지는 선택지와 플레이 방향성은 상당기간동안 제한돼 왔다. 다만 위에서 언급한 염색체 쪼가리 하나 때문에 극단적으로 달라지는 게임구조에 대해 불만을 갖고 있는 플레이어들로 인해 미약하게나마 간극이 좁혀지고 있다는 점은 고무적이다.

XX형은 주관적이다. 따뜻하고, 유연하며, 정교하고 세심하다. 부족한 부분을 채워 넣고 넘쳐흐르는 것은 닦아 올린다. XX형의 존재는 본질적으로 플레이어간의 협력과 사랑을 불러일으킨다. 글쎄, XX형은 XY와 비교해 더 복잡하고 어려운 속성 같고, 개인적으로는 XX형이 XY형보다 나중에 나온 것 같다.배려와 양보, 헌신과 포용, XY형에게 부족하고 결함된 부분을 XX형이 모두 갖고 나왔으므로….

2. 외양

인간의 외양은 단순하면서도 복잡하다. 중세 롤플레잉 게임의 걸작《엘더스크롤》은 시작할 때 캐릭터의 종족과 외양을 스스로 조절할 수 있도록 되어 있는데, 피부색부터 코의 높이와 크기, 광대뼈가 튀어나오는 정도와 귀의 각도까지 설정할 수 있다.

이 게임과 엘더스크롤의 캐릭터 생성에는 크게 두 가지 차이가 있다. 엘더스크롤과 달리 이 게임은 스스로 결정할 수 있는 외양이 거의 없다는 것, 그리고 임의로 설정된 외양 때문에 스토리 진행에 지장이 갈만큼 피해를 입는 일이 많다는 것이다.

기술의 눈부신 발전과 더불어, 외양 역시 부분적으로는 재설정이 가능하다. 그러나 상당한 비용과 시간을 필요로 하며, 태생적 외양에 대한 인식체계가 여전히 존재한다는 점, 골격과 피부색처럼 넓은 영역의 재설정은 어렵다는 점, 재설정 당사자의 정체성 혼란을 야기한다는 점 등, 명료한 한계를 보인다. 그럼에도 외양에 대해 끊임없는 투자와 소비가 이루어지는 이유는, 그저 인간이 눈을 가진 동물이기 때문일 것이다.

3. 상태이상

어떤 플레이어는 상태이상을 안고 게임을 시작하게 된다. 상태이상은 게임 시작 시점에서 발현되는 경우가 있고, 속성에 따라 수 년 혹은 수십 년 뒤에 드러나는 경우도 있다. 상태이상을 가지고 시작하는 플레이어들은 어떤 형태로든 남다른 플레이 경험을 하게 된다. 특수한 스테이지에서 게임을 하게 된다고 할 수 있는데, 보통 더 어려워지는 경우가 대부분이다. 상태이상 때문이 아니라, 상태이상을 이해하지 못하는 다른 플레이어들 때문에.

4. 운

운이 태생적으로 결정되는 속성으로 볼지, 게임 속 콘텐츠와의 상호작용을 통해 발생하는 불규칙적 작용의 연속으로 볼지 의견이 분분하다. 한 플레이어에게 주어질 시간과 공간 그리고 주위 플레이어들과의 상호작용 모두를 운명적인 관점으로 본다면, 운은 태생적으로 타고나는 것에 가깝다고 할 수 있을 것이다. 그러나 플레이어 개개인의 운이 어느 정도인지 수치화하는 것은 불가능한 일이며, 사실상 의미도 없다. 불운과 행운은 대부분 시간이 지나간 다음에야 확인할 수 있기 때문이다.

운을 선천적으로 결정되는 요소로 봤을 때 좋은 점이 하나 있는데, 바로 이런 말을 할 수 있다. '당신은 단순히 운이 좋았을 수도, 혹은 운이 나빴을 뿐일 수도 있다.' 이 사실은 힘든 게임을 지속하는데 꽤 위안이 된다. 적어도 나는 그랬다.

3-3 생각과 달리 결정할 수 있는 것

쉽게 말하면 '후천적'인 요소들이다. 물론 후천적인 요소라고 해서 누구나 다 결정할 수 있다는 의미는 아니다. 플레이어 당사자의 주위 환경이나 분위기, 주변 플레이어들이 어떤 태도를 갖고 있는지에 따라 결정이 어려워지는 경우가 잦기 때문이다. 실제로 이 게임 내에서는 아래와 같은 요소들이 캐릭터 생성 당시에 고정된 값으로 튀어나오는 것이니 오롯이 받아들이고 평생 살아가야 한다는 분위기가 존재한다.

한 가지 안타까운 것은, 많은 플레이어들이 아래 요소들을 직접 결정하는 것의 의미나 필요성, 혹은 욕구를 성인에 가까운 연령에 이르러서야 느낀다는 것이다. 유년기에는 자기결정권을 깨닫기는커녕, 자기결정권이라는 단어의 의미조차 파악하기 어렵다. 그러나 아래 요소들을 부분적으로, 혹은 전반적으로 재설정할 수 있는 것은 자명하다. 아니라고 한다면, 결정할 생각이 없거나, 혹은 결정하는 것이 두렵기 때문이다.

** 일각에서는 캐릭터 생성 TO의 배치가 만 4~5세 이*

후에나 이루어진다는 설을 제기한다. 만 4~5세 이전의 '아기'들은 번식에 성공한 플레이어 당사자들의 게임 몰입도 및 난이도를 높이기 위해 제공되는 일종의 인공지능(AI)이라는 것이다. 이 시기의 기억이 흐릿하거나 존재하지 않는 것은 이 때문이라는 것이다. 이 설에 따르면 인공지능은 오직 부모라 불리는 플레이어들을 괴롭히고 골탕 먹이기 위한 알고리즘으로 가득 차있다고 하는데… 어디까지나 가설일 뿐이다.

1. 이름

부모가 지어준 자신의 이름에 작은 불만 하나 없는 플레이어는 드물 것이다. 그도 그럴 것이, 플레이어들은 어떤 수를 써서든 다른 플레이어의 이름을 놀리기 때문이다. 놀림 받지 않는 이름을 짓는 것은 불가능하다. 오랫동안 고민한 결과 내린 결론이다.

그러나 이름은 바꿀 수 있다. 많은 사람들이 부모가 지어줬다는 이유로 이름을 바꾸는데 주저하곤 하지만, 캐릭터명을 스스로 정하는 것은 일반적인 일이다. 구태여 '불효', '비매너' 같은 부정적인 의미를 부여할 필요가 없다.

누구든 자신이 불리길 원하는 이름으로 불릴 자격이 있다. 그래도, 날 사랑하는 누군가가 지어준 이름으로 살아가는 것도 퍽 낭만적이다.

2. 성정체성

성정체성이 왜 후천적인 요소냐고 말할 수 있겠다. 이해한다. 그러나 태생적으로 결정되는 성별에 비해서 상대적으로 자유도가 높다는 뉘앙스로 이해해 주기 바란다.

성정체성은 XX형, XY형으로 이원화되는 성별보다 더 다양한 가능성을 지니고 있다. 성장과정 속에서의 경험과 가치관 형성방식에 따라, 주어진 성별과 다른 정체성을 갖게 될 수도 있고, 별 혼란 없이 살다가 어느 날 갑자기 깨닫게 될 수도 있으며, 자아를 탐구하는 과정 속에서 완전히 새로운 정체성을 발견하는 경우도 있다.

결국 성별은 물리적 구분에 불과하며, 성정체성은 플레이어가 정의하기에 따라 제각각으로 나타날 수 있다. 플레이어가 스스로의 정체성을 잘 파악할수록, 이 복잡한 게임의 방향성은 명료해질 수 있다. 내게 어떤 자신이 필요한지 안다는 것은, 더 즐겁게 게임하는 방법을 깨닫는 것과 같기 때문이다.

3. 플레이스타일

대범함과 소심함, 외향성과 내향성, 능동과 수동, ESTJ와 INFP. 인간의 플레이스타일을 일컫는 단어는 수도 없이 많다. 플레이스타일은 명백하게 후천적인 요소다. 선천적이라 생각하면 웃기지 않은가. 게임을 시작하기도 전에 게임하는 스타일이 결정돼있다고 한다면. 심지어 난 이게 어떤 게임인지도 몰랐다.

플레이어의 성격이 선천적 요소로부터 많은 영향을 받는다는 사실은 부정할 수 없다. 하지만 '내 플레이스타일은 원래 그래, 난 어쩔 수 없어'라고 말하고 다닐 필요는 없다. 적어도 이 책에 의하면 플레이스타일은 얼마든지 바뀔 수 있다. 물론 나이가 들수록 어렵긴 하겠지만. 어려운 일과 불가능한 일은 완전히 다른 어휘다. '글쎄? 사람은 안 바뀌어', '인간은 고쳐 쓰는 거 아니랬다'라고 말하는 사람들에게 한 마디 하고 싶다. 그렇게 생각하면 게임이 재미없지 않냐고!

THIS LIFE 100%

이 게임을 공략하는 방법 Skill Tree

••••••

Log In

앞선 챕터가 이 게임의 윤곽을 설명하고 디스하는 내용이었다면, 이번 장에서는 당신이 플레이어로서 어떻게 게임을 채워갈 수 있을지 정리해보겠다.

롤플레잉 게임에는 게임 속 캐릭터가 사용할 수 있는 스킬skill이라는 것이 있다. 플레이어가 일정한 조건을 만족하면 습득되고, 사용하면 게임 플레이에 도움이 되는 효과나 이벤트가 발생한다. 게임 진행에 큰 도움이 되는 스킬이 있는가 하면, 도움은커녕 방해만 되는 똥스킬도 존재하는 법. 어떤 스킬들은 강력한 효과를 지닌 대신 습득 조건이 까다롭다. 다른 스킬을 먼저 습득해야만 습득할 수

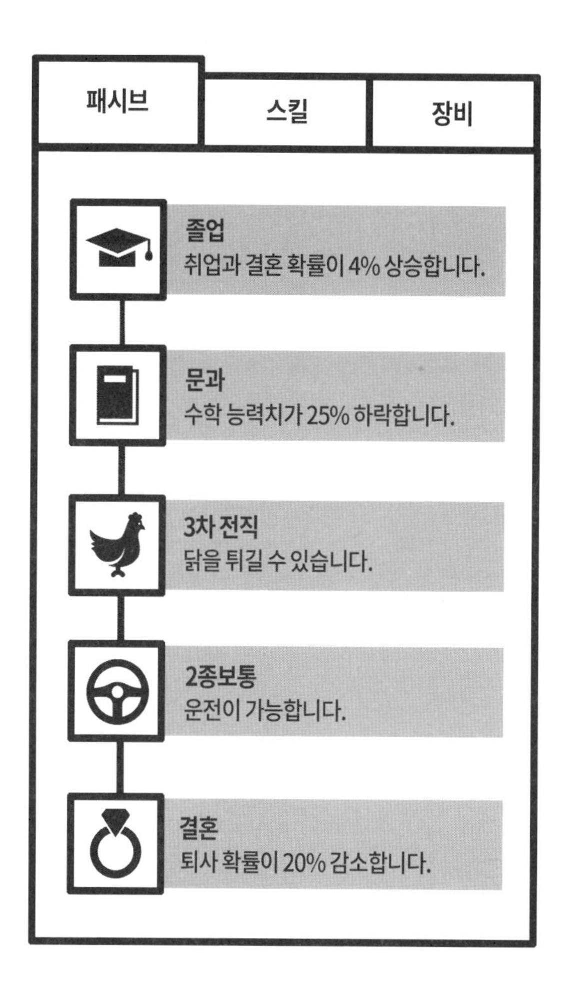
패시브
스킬
장비
졸업
취업과 결혼 확률이 4% 상승합니다.
문과
수학 능력치가 25% 하락합니다.
3차 전직
닭을 튀길 수 있습니다.
2종보통
운전이 가능합니다.
결혼
퇴사 확률이 20% 감소합니다.

있다거나 하는 식으로.

이 책에서는 당신이 게임의 플레이어로서 추구해볼 법한 목표들을 스킬의 형태로 정리, 설명해봤다. 각 스킬들은 게임 속 플레이어로서 느끼는 욕구를 충족시킬 수 있도록 돕는다. 그래서 스킬이 충족시키는 주된 욕구를 기준삼아 물질계, 사회계, 생물계, 정신계의 네 가지 계열로 구분할 수 있었다. 실제 어휘와 혼동하지 않도록, 스킬이름에는 일괄적으로 괄호를 넣어서 표기했다. 예컨대, 바보는《바보》를 습득할 수 없다, 같은 식이다.

습득된 스킬은 사용할수록, 이해도가 높아질수록, 혹은 다른 스킬과의 시너지가 발생할수록 '숙련도'가 높아진다. 스킬의 숙련도가 높아질수록 스킬이 주는 효과가 극대화되며, 다른 부가 효과가 더해지기도 한다. 특정 스킬의 숙련도가 매우 높아야 습득되는 스킬도 있다.

플레이어의 상태를 설명하기위해 세 가지의 수치가 필요하다. HP, MP, TIME이다. HP는 Health Point의 약자로, 물리적이고 신체적인 에너지를 의미한다. MP는 Mental Point의 약자이며, 정신적인 에너지를 의미한다. TIME은 그냥 시간이라는 뜻이다.

스킬을 찍는 스킬포인트Skill point는 다름 아닌 시간이다. 플레이어에게 주어진 시간은 한정돼 있다. 따라서 모든 스킬을 습득하기란 물리적으로 불가능하다. 습득된 스킬은 영구적이지 않다. 플레이어가 사용하지 않는 스킬은 점차적으로 상실되기도 하며, 어떤 스킬은 시간의 흐름에 따라 변화하기도 한다. 대부분의 스킬은 재습득이 가능하다.

스킬과 스킬트리는 이 게임이 제공하는 가장 핵심적인 콘텐츠다. 플레이어는 게임에서 원하는 바를 이루기 위해 스킬을 습득하고, 사용하고, 유지하려 애쓴다. 왜냐하면, 앞서 말했듯이 우리 플레이어들에게 주어진 시간이란 턱없이 짧기 때문이다. 시간은 유한하지만 우주는 무한하다. 플레이어의 선택이 만들어내는 게임의 조합 역시 무한하다. 때문에, 누구도 이 게임의 정석이나 공략을 말해줄 수 없다. 물론 이 책도 마찬가지라서, 앞으로의 내용이라고 해봤자 게임의 세계관, 대략적인 흐름 정도에 불과할 것이다.

어떤 플레이어들은 자신의 플레이 경험을 바탕으로 '이 게임 완전 공략법'이라고 포장한 책을 팔아치운다. 다만 이런 책들의 내용은 책을 읽는 플레이어들이 그대로 적용할 수 있는 것은 아니다. 시작부터 주위를 둘러싼 환경, 플레이어의 성향과 플레이 스타일, 영위하는 타임라인과 시대의 흐름, 양자의 위치에 이르기까지 모든 것이 다르기 때문이다. 당신이 이 게임에 있는 모든 플레이어들의 공략법을 알고 있더라도, 당신 앞에는 또, 또 예기치 못한 상황과 문제가 펼쳐질 것이다. 이 게임은 시작도, 끝도, 그 사이를 채우는 이야기도, 어느 것 하나 정해진 것이 없다. 나는 그저, 당신이 앞으로 남은 게임을 어떻게 플레이할지, 결정하는 일에 '적당한 참고'가 되길 바라며 다음과 같은 내용을 쓴다.

4-1 물질계 : 다 내꺼야 감자튀김

물질적 소유욕과 영향력, 지배관계에 대한 욕구를 채우는 스킬들이다.

보통 점수딸이라고 한다

전직

노동

설명	HP, MP를 일정량 소비해 부를 생산합니다.
선행스킬	없음

할 일이 아무것도 없는 것은 즐겁지 않다. 할 일이 많은 데 안 하고 있는 것이 즐거운 것이다.

There is no pleasure in having nothing to do; the fun is in having lots to do and not doing it.

- 메리 윌슨 리틀

플레이어 W는 이민자 집안의 자식이었다. 세계는 어린 W에게 무척이나 넓었다. 넓은 세계에서 W의 가족은 이쪽저쪽으로 거처를 옮겨 다녔다. W의 아버지는 가족과 살아남기 위해 최선을 다했다. 어린 W를 학교에 보내지 않은 것도 그 최선의 일부였을 테다.

W는 아버지와 함께 이른 아침부터 신문 파는 일을 시작했다. 꼭두새벽부터 일찍 일어나는 일, 잉크 묻은 종이더미를 옮기고 나눠주는 일, 큰 소리로 길 가는 손님들을 불러 세우는 일 모두가 일곱 살배기 W에게는 쉽지 않았다. 버거운 노동의 틈바구니 속, W가 누릴 수 있는 유일한 낙은 매일 신문에 찍혀 나오는 만화였다.

W의 아버지는 수시로 '파는 신문을 함부로 봐선 안 된다'고 말했지만, W가 몰래 만화를 보고 있다는 걸 알고서도 내버려뒀다. 가족 앞에서 지키고 싶은 마지막 오기. 만화 한 번 본다고 신문지가 닳는 것도 아니니까 말이야. 또 미술학원에 보내달라고 떼쓰지만 않는다면. 아무래도 괜찮을 것 같았다. 그사이 동쪽에서는 해가 오르고 있었다. 그 날의 신문더미는 평소와 같이 무거웠다.

상세 생산성을 전제하는 육체적, 정신적 활동의 통칭이다. 사람은《노동》의 대가로서 물질을 확보하며, 물질을 소비함으로써 욕구를 만족시킨다.

사실상 게임의 가장 밑바탕이 되는 스킬 중 하나다. 자의든 타의든, 거의 대부분의 플레이어들이 이 스킬을 사용하고 있거나 사용한 적이 있다. 같은 분야에 오래 사용할수록 효율이 상승하지만 개인차가 있으며, 정신계열 스킬을 수행하는데 지장을 준다.

다만《노동》은 적정 나이대를 벗어나게 되면 효율이 극도로 낮아지는 경향이 있다, 또한 장기간의《노동》은 (주로 물리적인)고통을 불러일으키는데, 많은 플레이어들이 게임 대부분의 시간을《노동》을 사용하는 데 쓰도록 강요받는 것이 문제로 떠올랐으며, 현재도 논의는 계속되고 있다.

재화나 서비스를 생산해 내는 이 스킬이 인간의 본질적인 욕구에 해당한다는 주장도 있다. 그러나 인간은 노동 자체에 대해 욕구를 가지기보단《노동》을 통해 얻을 수 있는 성취감에 더 관심이 있다. 만일 성취욕이 인간이 생물로서 가지는 본질적 욕구라 전제하더라도,《노동》이 물질

이외의 스킬로 분류될 일은 없다. 성취감의 확보수단을 반드시 《노동》으로 국한할 필요는 없기 때문이다.

고급노동

설명 적은 HP와 MP를 사용해 더 많은 부를 생산합니다. 숙련도가 높은 상태에서 사용할 경우 MP가 회복될 수 있습니다.

선행스킬 《노동》《인정》《탐색》

플레이어 X는 영특한 학생이었다. 시험이 있을 때마다 X는 반에서 가장 좋은 점수를 받았고, 반장으로서도 담임선생님의 신뢰를 받았다. 하는 말과 행동만 봤을 때, 누구도 X를 부모 없이 보호소에서 자라는 아이라 생각할 수 없었다.

X는 모든 과목에 대해 흥미가 있었지만, 그 중에서도 가장 관심을 가졌던 것은 단연 법학이었다. 법원은 X의 어머니를 단지 '신경쇠약'이라는 이유로 정신병원에 가둬버렸다. 어린 X는 손 한 번 쓰지 못하고 법에 어머니를 뺏겼다. X가 어머니를 크게 존경한 적은 없었다. 그러나

X는 더 이상 아무 것도 뺏기고 싶지 않았다.

담임선생님과의 면담이었다. 장래희망이 뭐니, 선생님의 질문에 X는 자신있게 대답했다. 저는 변호사가 될 거에요. 옹골찬 대답 뒤에 담임의 의아한 표정이 이어졌다. X는 표정만으로도 담임의 의견을 대강 알 수 있었다. 흠흠, X야, 네 뜻은 잘 알겠다. 그렇지만 좀 더 현실적인 목표를 정하는 것은 어떠니? 농장을 꾸리거나, 나무를 다듬어 가구를 만드는 일들도 변호사 못지않게 가치 있는 일들이지… X는 고개를 떨궜다. 화끈거리는 얼굴을 가리기위해 온 신경을 집중했다. 다만 이미 검게 물든 얼굴덕분에, X의 노력은 무용지물이나 다름없었다. X는 결국 뺏기고 싶지 않은 마음까지 뺏기고 말았다.

상세 생산을 전제하는 활동이라는 점에서《노동》과 궤를 같이하지만,《노동》과 비교해 극명하게 높은 스킬효율이 특징적이다.《고급노동》의 습득은 단순 반복 작업으로 말미암아 얻을 수 있는 물리적

효율과 관계가 없다. 오히려 정서적 안정감과 스스로에 대한 탐색, 외부로부터의 인정 등 노동 외적인 영향을 받아 습득되는 경우가 많다. 다만 플레이 환경과 상황, 주위 플레이어들의 성향으로 인해 평생 획득하지 못하는 플레이어가 대부분이다.

인간사회에서 천직이라 표현되는《고급노동》스킬은 노동 중에 발생하던 물리적, 정신적 피로감을 크게 감소시킨다. 심지어 스킬의 레벨이 높아지면 노동 중에 피로감이 해소되기도 하며, 일반《노동》에 비해 더 높은 가치의 결과를 만들어낸다. 현저히 적은 리소스로 양질의 결과물을 만들어낸다는 점에서《축적》스킬에 긍정적 영향을 미치며, 사회 및 정신계 스킬에 더 많은 투자를 가능케 한다. 여러모로 습득해두면 끝까지 효자 노릇하는 꿀스킬이다.

물질계

소비

설명 부를 소모하여 HP, MP를 회복할 수 있는 재화를 확보합니다. 숙련도가 높아질수록 《축적》 스킬 습득에 부정적 영향을 미칩니다.

선행스킬 없음

플레이어 R은 패스트푸드 가게로 들어왔다. 주문하는 카운터 앞으로 줄이 길게 늘어섰다. R은 현기증이 났다. R이 느끼는 현기증은 단순한 증상이었지만, 원인은 꽤 복잡했다. 극심한 허기, 어제 빨고 몸에 남은 코카인, 패티 굽는 기름진 냄새와 바글바글한 사람 그리고 빵 더미 냄새가 규칙도 없이 뒤엉킨 가게 공기… 글쎄, 뭐 때문일까? 그래도 일단은 배를 채워야했다. 오랜만에 햄버거를 먹고 싶은 기분이 들었으니까.

R은 리듬 없이 흔들리면서 줄을 기다렸다. 누가 봐도 정상적인 사람 같진 않은 모습. 몇몇은 비쩍 마른 R의 몰

골과 훌쩍대는 코를 보고 약물중독자라는 사실을 유추해냈다. 다행히, R은 스스로에게 쏟아지는 시선들을 신경 쓸 만큼 온전한 정신상태가 못됐다. 줄은 생각보다 금방 줄어들었다. R은 자기 차례가 되자, 가장 좋아하는 메뉴를 주문했다. 더, 더블치즈버거. 말을 좀 더듬었지만, 직원은 곧잘 알아들었다. 오래지않아 R은 카운터 옆에서 버거를 받아들었다. 안 돼, 더 이상은 견딜 재간이 없었다. R은 종이포장을 잡아 뜯고 버거를 한 입, 크게 물었다. 이 맛은! 이 맛은, 이 맛… R은 아무 맛도 나지 않는 햄버거를 들고 한참동안 서있었다.

상세 인간은 서로 생산에 비교우위가 있는 재화를 교환함으로써 효율적으로 자원을 분배한다. 플레이어는《노동》을 통해 발생시킨 가치를《축적》할 것인지,《소비》할 것인지 결정할 수 있다. 사실상 많은 플레이어들이《노동》에 매달리는 이유이기도 하다.《소비》는 쉽게《해소》를 사용할 수 있게

해주며, 인간의 소유욕을 채워주는 역할도 한다.

《소비》를 사용할지 말지는 온전히 플레이어의 재량이다. 그러나 스스로 생산할 수 없는 가치를 얻기 위해서는 반드시 사용하게 되는 스킬이므로, 《소비》를 어떻게 이용하느냐에 따라 물질계 스킬 전반의 습득 난이도가 결정되는 셈이다.

물론 《소비》를 사용하지 않고 플레이하는 것이 아주 불가능하지는 않다. 이를테면 홀로 무인도에 들어가 자급자족한다면 《소비》를 사용할 필요가 없다. 이 경우 《소비》를 쓰는 것 자체가 불가능하다고 볼 수 있겠지만…. 다만 이 경우, 《노동》으로 확보한 가치가 온전히 플레이어 자신에게 사용되므로, 자연스럽게 《축적》을 비롯한 상위 물질계 스킬을 획득하는 것은 어려워질 것이다.

상술했듯 인간의 소유욕을 채워준다는 측면에서 《소비》를 생물계 스킬로 구분하거나, 《해소》의 일부로 보아야 하는 것 아니냐는 주장도 있다. 그러나 소유욕의 유무와 크기는 플레이어마다 차이가 있으며, 소유욕이 생물로서 느끼는 필수적 욕구는 아니기 때문에 물질계 스킬로 구분한다. 결정적으로《소비》는 인간이 느끼는 소유욕 모두를 해결하지 못한다. 이 게임에는 '구매할 수 없는' 가치도 존재하기 때문이다.

상속

설명 캐릭터 생성 시 낮은 확률로 발생하거나, 타 플레이어로부터 양도받음으로써 습득됩니다. 물질계, 생물계 스킬 전반과 사회계 스킬 일부의 습득이 매우 쉬워지며, 정신계 스킬 전반에 대한 습득 및 숙련 난이도가 높아집니다.

선행스킬 없음 (확률적 습득)

진정한 압박감이 뭔지도 모르고 살아가는 사람들이 많이 있어. 어떤 사람은 3루에서 태어났으면서 3루타를 친 줄 알고 살아가지.

There are many people who don't know what real pressure is. Some people are born on third base and go through life thinking they hit a triple.

- 배리 스위처

상세 이 게임의 가장 큰 특징 중 하나는, 게임을 시작했을 때 플레이어가 처해지는 환경이나 상황이 무작위로 정해진다는 것이다. 《상속》은 상위 티어에 속하는 물질계 스킬이지만, 후천적으로 습득할 수 있는 방법은 거의 없다. 《상속》 자체를 양도받는 방법도 있으나 순전히 운에 달린 문제다.

《상속》은 습득하기만하면 정신계를 제외한 모든 계열의 스킬을 쉽게 공략할 수 있다. 《상속》을 습득할 시, 높은 확률로 《축적》을 함께 습득하므로, 대부분의 유저들이 게임을 지속하기 위해 사용하는 《노동》, 《연구》 등의 필수스킬들을 경험하지 않을 수도 있다. 때문에 대부분의 플레이어들이 《상속》을 갖고 태어난 소수의 플레이어들을 시기하며 부러워 한다.

일반적으로 《상속》의 습득은 이 게임의 전반적인 난이도를 하향시킨다. 그러나 《상속》의 속성에 따라 전반적인 정신계 스킬의 습득이 어려워지는 경향이 있으며, 《상속》에 대한 다수 플레이어들의 부정적 관점으로 인해 예기치 못한 트러블에 휩싸이기도 한다. 이런 맥락에서 《상속》은 이 게임이 본질적으로 갖고 있는 플레이 변수들 중 하나에 불과하다는 의견도 있다.《상속》은 원한다고 습득할 수 있는 것이 아니지만, 원하지 않더라도 습득될 수 있는 스킬이기 때문이다.《상속》을 난이도 조절용 안전장치로 볼지, 제각기 다른 플레이어의 환경으로 치부할 것인지는, 역시 판단에 맡기도록 하겠다.

물질계

축적

설명 일정량 이상 모인 부를 유지합니다. 모든 계열에서의 스킬 습득 확률이 높아집니다. 숙련도에 따라 MP가 어느 수준 이하로 떨어지지 않게 됩니다.

선행스킬 《노동》 혹은 《상속》

플레이어 O는 기회주의자다. 누구보다도 교활하고 탐욕스러웠으며 부패한 인간이었다. 학창시절 O는 성적 증명서를 위조하다가 퇴학당했고, 부농의 딸과 발빠르게 결혼했으며, 정보를 몰래 빼돌려 돈을 벌기도 했다. 넘겨받은 공장과 탄압받는 사람들을 이용해 사업을 키웠고, 막대한 부를 쌓았다. O는 그야말로 돈에 미친 사람이었다.

그러나 공장 바깥에는 O보다 더 미친 세상이 역동하고 있었다. O는 자신의 아래에서 꾸물꾸물 살아가는, 수백 명의 생사여탈권이 자신에게 있다는 사실을 깨달았

다. O는 심경이 복잡했다. 살아있는 사람의 돈을 빼앗는 것과, 돈을 위해 사람을 죽이는 것은 적어도 다른 영역에 있었기 때문이다. 동전은 O의 손 안에 있고, 던져서 나올 면은 정해져 있었다. 결정은 간단했다.

상세 플레이어가 《노동》을 통해 얻는 가치가 《소비》로 사용하는 가치보다 크고, 이 상태가 지속되면서 유형의 가치가 일정수준 이상으로 모였을 때 습득되는 스킬. 단 '일정수준'은 명확히 정해진 수치가 아니라 플레이어의 성향에 따라 큰 차이가 있다. 일반적으로는 소유한 가치의 양이 플레이어에게 심리적 안정감을 줄 수 있는 양으로 판단한다.

《축적》이 게임플레이에 주는 이점은 상당하다. 우선, 《노동》으로부터 어느 정도 자유로워진다. 인간은 자원의 부족으로 인해 《소비》를 할 수 없게 되고, 나아가 《해소》가 불가능한 상태가 되는 것에 상당한 불안감을 느낀다.《축적》은 이 같은 불안감을 상당부분 제거하는 역할을 하며, 정신계 스킬《자유》의 습득확률을 크게 높인다. 또, 숙련도가 높아질 경우《노동》이나《연구》를 전혀 사용하지 않고 게임을 플레이할 수 있는데, 덕분에 다른 계열 스킬에 투자할 시간과 에너지가 크게 늘어나기도 한다.

《축적》은 수많은 플레이어들의 꿈과 같은 스킬이다. 많은 플레이어에게《자유》를 습득하기 위한 필수적 스킬로 생각되고 있기도 하며,《상속》을 습득하지 못한 플레이어로선《축적》을 통해 좀 더 다채로운 게임을 즐길 수 있으니까. 그래서 대부분의 플레이어는《축적》을 물질계 스킬의 최종목표로 삼곤 한다.

다만,《축적》이 곧 물질계 스킬의 마지막은 아니다.《축적》은 물질적 부족과《노동》,《연구》등으로 말미암은 에너지 소비, 정서적 불안감을 없애줄 뿐 소유욕 자체를 완전히 만족시키는 것은 아니다.《축적》을 습득하고도 소유욕과 성취욕을 끊임없이 불태우는 플레이어도 있다. 여기서부터는 좀 마니악한 영역이다. 비유하자면 이미 끝까지 클리어한 비행기 게임을 처음부터 다시 하는 것과 비슷하다. 단지 더 높은 점수를 얻기 위해서. 당연히 다시 플레이한다고 더 높은 점수가 나올 거라는 보장도 없다. 오히려 다시 했는데 이번엔 클리어조차 못하는 상황이 벌어질 수 있다. 그럼에도 굳이 앞으로 나아가는 유저들 앞에는, 크게 두 가지 결과가 기다리고 있다. 다음 티어로 넘어가 《확장》을 습득하거나, 애써 얻은 《축적》마저 잃거나.

확장

설명 | 소유하고 있는 부가 증식합니다. 숙련도가 높아질수록 성공률이 크게 증가합니다. 《지배》를 습득할 확률이 높아집니다.

선행스킬 | 축적》《고급노동》《경쟁》

상세 | 《확장》은 쉽게 말해 《축적》으로 모인 자산을 뻥튀기하는 스킬이다. 《확장》을 습득하는 방식은 다양하지만, 가장 많이 쓰이는 방식은 사업, 투자, 전쟁, 도박 등이다. 일단 습득하기만하면 기하급수적으로 부를 증대시킬 수 있는 스킬이다.

《확장》의 사기적인 특성을 이해하기 위해 예를 하나 들자. RPG게임에서 아이템을 강화한다손 치면, 높은 단계의 강화일수록 성공률이 줄어드는 게 일반적이다. 플레이어가 강해질 수 있는 여지는 충분히 남겨놓으면서, 게임의 난이도를 적당히 유지하기 위함이다. 그런데《확장》은, 말하자면 강화를 하면 할수록 강화확률이 높아지는 아이템이다.《확장》의 기상천외한 특성은 물질적 부가 가지는 허점들 - 규모의 경제, 자연독점, 양극화 - 로부터 기인한다. 마치 도박에서 판돈이 많으면 많을수록 유리한 것과 같다.

당연한 말이지만,《축적》을 습득한 모든 플레이어가《확장》에 성공하는 것은 아니다.《확장》의 습득을 위해서는 경쟁적으로 부를 늘리는 일이 플레이어의 적성과 재능과 일치해야 하며, 목표달성을 위해 다른 계열의 스킬들을 복합적으로 활용할 수 있어야 한다. 그러나 이 복잡한 조건들을 모두 만족한다고 해서 반드시《확장》을 습득하는 것은 아니다. 플레이어의 실력이 출중하더라도, 그냥 운이 나빠서 습득에 실패하는 경우도 많다. 아니, 대부분이다. 상당한 노력 끝에《축적》을 습득한 플레이어들 중에서는,《확장》에 도전했다가 실패한 뒤 '내 실력과 노력이 부족해서 그럴 거야. 좀 더 노력해서 다시 도전하겠어' 같은 생각을 하는 플레이어도 있다. 뭐 정말 노력이 부족했을 수도 있지만, 단순히 운이 나빴던 것일 수도 있다. 왜? 왜냐니.

《확장》이 그냥 그런 스킬인데.

따지고 보면, 《축적》의 습득은 분명 어렵긴 하지만 플레이어의 부단한 노력과 의지만 있다면 어느 정도 달성할 수 있는 스킬이다. 그런데 《확장》은 플레이어가 아무리 발악을 해도… 운이 나쁘면 '그냥' 못 얻는다. 왜 이렇게 만들어 놨을까? 가장 그럴듯한 가설은, 물질계 스킬트리 중에서 《확장》 이후부터는 단순한 보너스 스테이지라는 것이다. 달리 말하면 덤, DLC Downloadable content 정도 되겠다.

사실 《확장》은 엄청난 노력을 해서 어떻게든 꼭 얻어야 할 필요가 있는 스킬이 아니다. 물질적 부가 자체적으로 줄 수 있는 만족감은 《축적》에서 이미 한계에 도달했으니까. 《확장》에 도달한 플레이어들은 필요해서 부를 모으는 것이 아니라, 그냥 모으기 위해서 모은다. 《확장》은 일반적 《노동》으로는 평생 도달할 수 없는 수준의 부를 만들어 내는데, 이렇게 모아진 부는 대개 플레이어가 평생 《소비》에만 열중하더라도 다 쓸 수 없는 규모다. 실제로 《확장》을 습득해 부를 크게 늘린 플레이어들은 잔뜩 쌓인 부를 다 쓰지도 못하고 게임을 마감한다.

그럼에도 불구하고《축적》에 다다른 플레이어들이《확장》에 도전하는 이유는 무엇일까? 정확히 알 수는 없지만, 추측하자면 크게 세 가지다. 첫 번째는 사회계 및 정신계 스킬의 부족을 물질적 부로 채울 수 있다고 착각하는 경우. 두 번째, 그냥《확장》자체를 재미있어 하는 경우. 세 번째, 뿌리 깊은 소유욕을 절대적 부의 완성으로 만족시킬 수 있다고 생각하는 경우다. 이중 세 번째 케이스에 해당하는 플레이어가 거듭해서《확장》에 성공하는 경우, 마침내 물질계 최종 스킬에 다다르게 된다.

물질계

지배

설명 막대한 물질적 부를 바탕으로, 물질이 닿는 대부분의 영역에 영향력을 행사합니다. 숙련도가 극한에 달하면 손짓 한 번으로 우주의 절반을 날려버릴 수도 있을 것입니다. 아마도.

선행스킬 《확장》

플레이어 H를 어떤 말로 설명하는 것이 좋을까. 억만장자? 펀드매니저? 비행사? 공학자? 영화감독? 자선가? 괴짜? 글쎄, 정확히 말하면 H는 원하는 거의 무엇이든 될 수 있는 사람이었다. H에게는 타고난 제반환경과 재능을 바탕으로 쌓은 막대한 부가 있었고, 그래서 원하는 무엇이든 했다. 불타는 창작욕을 바탕으로 영화를 제작해 성공시켰고, 수많은 미녀 배우들과 관계를 가졌으며, 지루해질 즘에는 비행기를 만들었다. 그리고 날았다. 자신이 만든 비행기로 세계를 일주했다.

누구나 부러워할만한 부와 명예! 그러나 H는 결벽증, 조울증, 대인기피증을 비롯한 각종 정신병에 시달렸다. 누군가에 의해 일거수일투족이 감시되고 있다는 불안감에 빠져 살았으며, 대인기피를 넘어 인간을 혐오하는 지경에 이르렀다. H는 사실상 세상과 단절된 곳에서 매우 제한적인 의사소통만을 수행했다. 그리고 남은 것은 스스로에 대한 집착. 어느 순간부터 H는 머리도 손톱도 깎지 않았으며, 몸에서 떨어지는 각질과 시시때때로 배출한 오줌까지 모으기 시작했다. 주사를 놓다 부러진 바늘도 몸속에 그대로 뒀다. H는 영원할 것 같았던 행복이 어느덧 종말에 다다랐음을 깨달았다. 그럼에도 H는 외쳤다. 비행사! 병원으로 가도록 배를 띄우게! 날아가면 얼마 안 걸릴 거야.

상세 무언가를 가진다, 소유한다는 것은 무엇일까? 국어사전에는 소유를 '물건을 전면적, 일반적으로 지배하는 일'이라 정의내리고 있다. 물론

사전적 의미는 그 뿐이고, 소유한다는 것에 대한 개념은 사람마다 조금씩 차이가 있을 수 있다. 다만 소유자가 소유되는 대상에게 어떤 형태로든 지배적 영향력을 끼친다는 것은 명확해 보인다.

《지배》는 결국 소유욕의 극한이다. 물질적으로 정의가 능한 모든 존재를 돈으로 살 수 있다는 발상, 사람과 사람이 가진 무형의 가치까지도 소유 가능한 물건으로 보는 관점이 곧《지배》의 본질이다. 어떤 관점에서 물욕과 권력욕은 구분할 수 없는 영역이 되는 것이다.《지배》를 습득한다는 것은 플레이어의 강력하게 타고난 능력과 카리스마 그리고 천운의 발로이지만, 역설적으로《축적》과《확장》 단계에서 정신적 충족감을 경험하지 못했다는 의미기도 하다. 정신계 스킬에 대한 습득과 이해, 숙련도가 높은 플레이어들은《지배》는 물론《확장》조차 필요하지 않다고 느끼기 때문이다.

수천 년에 달하는 인간의 역사 속에서도《지배》에 도달한 플레이어는 얼마 되지 않는다. 이 몇 안 되는 플레이어들에게는 공통적인 특징이 있었다. 좋든 싫든 많은 사람들의 기억에 깊이 각인됐다는 점, 생각보다 어처구니없이 뒈졌다는 점, 그리고 일생동안 이뤄낸 것 치곤 말년에 꽤 추했다는 점이다. 첫 번째야 《지배》의 효과를 봤을 때 당연한 귀결이고, 두 번째도 뭐 결국 인간이니까 죽는 건 도긴개긴인 법인데, 세 번째가 여러 사람 피곤하게 만든다는 점에서 영 별로였다.

《지배》를 습득한 플레이어는 왜 말년에 추해지는가? 잠깐 상상해 보자. 만약 세상천하가 내 것이고, 소유할 수 있는 것들을 모두 가지는데 성공했다면 다음은 어떤 생각을 할 것 같은가? 《지배》는 플레이어로 하여금 소유욕으로부터 해방시키지만, 동시에 소유한 것 중 어떤 것도 잃고 싶지 않다는 불안감과 공포를 제공한다. 《지배》는 모든 물질적 가치를 통제할 수는 있어도 플레이어 자신에게 주어진 시간만큼은 어쩌지 못하기 때문이다. 시간, 청춘, 젊음, 열정, 아름다운 기억들과 어떤 정신적 가치들은 결코 《지배》의 영향을 받지 않는다.

끝 모르는 소유욕을 쫓아온 플레이어는, 《지배》를 습득함으로서 비로소 지배할 수 없는 것들을 깨닫는다. 그래서 자신이 습득한 《지배》로부터 자유로운 가치들을 쫓기 시작한다. 그런데 플레이타임이 얼마 남지 않았다. 올 클리어하고 업적도 다 깨고 장비랑 아이템도 다 모으고 명성도 최대치 찍었는데 갑자기 게임을 꺼야 한다니 미치고 팔짝뛸 노릇이다. 뒤늦게 여러 사람 알아보면서 길을 찾아보지만 딱히 묘안도 없다. 그렇게 늙으면 똥만 뿌직뿌직 싸다가, 어느 날 게임에서 로그아웃 당하는 것이다. 잠과 다르게 다시 로그인이 안 된다. 허, 참내, 게임이란 건 정말 허무하고 덧없는 것이로군. 다시는 안 해야지, 하다가 또 새로 플레이하고 그럴 것이다. 그땐 또 다른 루트로 게임을 해보겠지. 게임이란 건 원래 다 그런 거니까.

4-2 사회계 : 내가 원하는 건 오직 관심뿐

사회적 평판과 인기, 관심에 대한 욕구가 중심이 되는 스킬들이다.

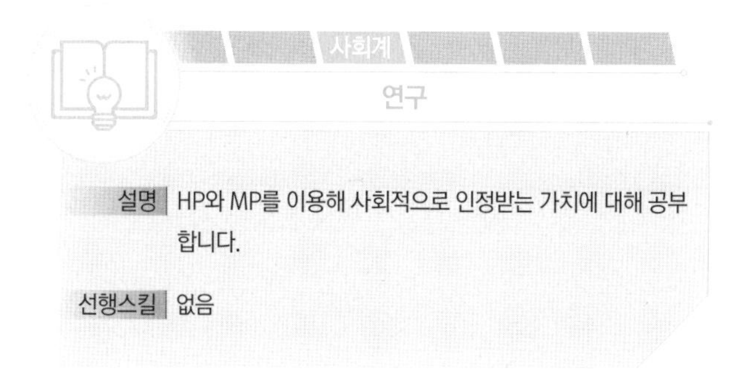

S는 대학생이었다. 그러나 대학생의 신분이 된 지 반 년. 이제 S는 스스로 대학생이라는 사실이 싫었다. 어째서 대학에 다녀야 하는 걸까. 한참 어릴 때 했던 부모님과의 약속 때문에? 글쎄, S는 자신이 뭘 하며 살아야 할지도 몰랐다. 명문대에 준하는 등록금은 오롯이 부모님

이 부담하고 있었다. S의 집안은 결코 부유하지 않았다. 노동자로서 평생 피땀 흘려 모아온 돈. S가 당장 무의미한 대학생활이나마 유지할 수 있는 것은 그 돈 때문이었다. S는 이 사실이 견딜 수 없이 괴로웠다. 앞으로 살아가면서 대학이 내게 어떤 의미를 가지게 될지도 몰랐다. S는 대학을 자퇴하기로 결심했다.

이윽고 S는 자퇴 원서를 작성하고, 방도 빼버렸다. 그러나 이미 등록금을 내버린 만큼은 학교를 더 다닐 수 있었다. 지금 집으로 돌아가기에는 돈이 너무 아깝지 않은가. 대신 S는 자퇴를 결심한 덕에 졸업을 위한 필수과목들로부터 자유로웠다. 그래서 관심이 가는 아무 강의나 들어가서 청강하기 시작했는데, 그중 S를 가장 매료시킨 것은 서예 강좌였다.

세리프, 산세리프, 자간과 행간. S는 아마도 세상에서 가장 돈이 안 될 것 같은 지식들을 배웠다. 물론 S가 느끼는 글자의 아름다움은 단순히 금전적 가치로 환산할 수 없었지만. 세상은 냉정하다. 삶에서 활용될 수 없는 지식은 젊음을 깎아먹고, 일관성 없는 경험은 서서히 커리어를 망친다. 서예 강좌의 수강이 미래에 어떤 영향을

미칠 것인가? 학위도 자격증도 없는 이 과정이 S의 삶에 어떤 의미를 가질 수 있을 것인가? 많은 생각이 오고갔지만, 뭐, 어차피 자퇴할 거니까. 인생에 하등 도움이 안 된들 뭐 어떠냐. 적어도 보기에는 아름답잖아. S는 그렇게 글자의 아름다움에 침전되어갔다. 글 하나에 추억과, 글 하나에 사랑과, 글 하나에 쓸쓸함과….

상세 사전적 의미로는 특정한 일이나 소재에 관해 깊이 탐구하는 일이다. 학창시절에는 공부라고 부른다. 사용 시 물리적, 정신적 에너지를 소비한다는 점에서《노동》과 비슷한 부분이 있다. 다만 해당 스킬은《노동》과 달리 당장 눈에 띄는 생산성을 담보하지 않는다는 점에서 큰 차이가 있다.

《연구》는 인간의 발전을 위해 반드시 필요한 작업이다. 다만 가시적인 성과를 보이기까지 지속적인 투자와 필요하다. 성과가 등장하기까지 소요되는 시간은 플레이어의 스탯과 성향에 따라 달리 나타난다. 사회적 가치 - 흔히《인정》으로 대표되는 - 를 확보하기 위해 많은 유저들이 매달리는 스킬이기도 한데, 해당 스킬에 안정적으로 투자하기 위해 노동과 번갈아 사용하는 경우도 있다. 그러나 두 스킬 모두 심신양면의 에너지를 소비하는 작업이므로, 심할 경우 플레이어의 만족도에 악영향을 미치는 것은 명백하다.

《연구》의 사용은 상위티어 스킬 습득 같은 가시적 성과 없이도 의미가 있다. 연구과정에 있었던 깨달음, 경험 등은 데이터화 되어 장기적인 플레이 스타일에 영향을 미치기 때문이다. 특히《연구》의 숙련도는 정신계 스킬의 획득에 크고 작은 긍정적 효과를 불러일으킨다. 그러나 게임 내 많은 플레이어들은 결과적으로《인정》을 획득하지 못한《연구》의 가치를 절하하는 경향이 있다. 참 아쉬운 일이다.

사회계

인정

설명 습득 시 MP의 총량이 늘어납니다. 이후 지속적으로 MP를 회복할 수 있습니다.

선행스킬 《연구》

V는 늦깎이 화가다. 학교는 자퇴해 제대로 다니지 못했고, 마음 가는 대로 아무 일이나 전전하다 보니 어느새 서른을 앞두고 있었다. V는 더 늦기 전에 그림을 그려야겠다고 생각했다. 더 이상 그림을 그리지 않으면 견딜 수 없었다. 동생에게 생활비를 받아가면서 스케치 연습만 한 것이 일 년. V는 붓에 물감을 묻히는 순간, 비로소 자신의 커리어가 시작됐음을 느꼈다.

한심한 놈! 서른이 다 된 나이에 그림이나 그리고 앉았다니. 좀 더 생산적인 일을 찾아보는 게 어때? 가족과 싸워가면서까지 그림을 그려야하는 이유가 뭐냐고. 몇 년 동안 네 허접한 그림을 위해 묵묵히 뒷바라지하는 동생에게 미안하지도 않니? 아무도 네가 그린 그림에 관심 갖지 않아. 누구도 네 그림을 돈 주고 사지 않아. 이제라도 정신 차려. 제발…

V를 죽이지 못해 안달인 목소리가 매일 머릿속을 울려댔다. V는 죽어가는 마음으로, 미친 듯이 그림을 그렸다. V의 열정은 스스로가 비참하게 느껴질수록 더 격렬하게 피어올랐다. 그림을 그릴 때만큼은 누구도 V를 방해할 수 없었다. V는 진심으로 그림 그리는 일을 사랑했다. 세상 어떤 말도 그 사실을 부정할 순 없다.

V에게는 확신이 있었다. 언젠가 자신의 그림을 봐줄 사람이 있을 것이다. 인정받을 시간이 올 것이다. 비록 그 때가 자신이 죽은 이후가 되더라도. V는 단지 잘못된 시대에 태어난 것일지도 모른다. 아마 평생 비참한 삶을 살다 죽을지 모른다. 그럼에도 상관없었다. 당장 V는 그림을 그리며 살아있고, 그 사실이면 충분했기 때문에.

상세 다른 플레이어들로부터 특정 분야, 영역

에 관해 존중과 지지를 받는 스킬이다. 《인정》은 게임 내에서 매우 다양한 형태로 존재한다. 학력, 자격증, 어학점수, 커리어, 우승 트로피 등. 단 선행 스킬인 《연구》를 사용하는 분야와 해당 플레이어들의 성향에 따라 《인정》의 습득 시기는 천차만별이다. 시작하자마자 습득하는 케이스가 있는가하면, 평생 《연구》에 몰두했음에도 얻지 못할 수 있는 것이 《인정》이다.

많은 플레이어들이 《인정》을 습득하지 못하는 이유에 대해, 《연구》에 들인 리소스가 부족하기 때문이라 생각하는 경향이 있다. 그러나 《인정》의 습득시기, 습득여부는 플레이어 개인이 컨트롤하기 어렵다. 《인정》의 습득은 플레이어가 처한 상황과 분위기, 시기적 흐름에 따라 독립적으로 이루어지기 때문이다. 《연구》와 《연구》를 통해 습득되는 《인정》은 절대적인 가치가 아니다. 생각해보라. 코비가 레이커스가 아닌 호네츠에서 뛰었다면, 메시가 축구선수가 아닌 세팍타크로 선수로 활약했다면 지금 같은 인기와 관심을 받을 수 있었겠는가?

《인정》만을 위한 플레이를 지속하게 될 경우 플레이어는 높은 확률로 공허감, 무력감에 빠지게 된다. 대개《인정》을 위한《연구》란 플레이어 본인의 욕구와 목표로서 수행되는 것이 아니기 때문이다. 노력 끝에 원하는 수준의《인정》을 얻게 된다면 다행이겠으나, 많은 플레이어가 부단한《연구》에도《인정》을 얻지 못해 좌절하고 슬퍼한다.《인정》은 본질적으로 희소하며, 희소성이 가치를 유지시키는 이질적 스킬이다. 더구나 사회가 가하는 시선, 주위 플레이어간의 분위기에 따라《인정》이 주는 만족도는 크게 달라진다.《인정》의 가변성, 상대성, 불규칙성으로부터 급격한 상태변화를 예방하기 위해 정신계 스킬을 병용한다면 도움이 될 수 있다.

《인정》을 습득해 놓아서 나쁠 것은 없지만, 반드시 게임 플레이에 필요한 스킬은 아니다.《인정》으로만 얻을 수 있을 것이라 생각되는 가치들 – 재물, 관심, 존중, 명예, 권력, 성취감 등 – 은 의외로 다른 스킬로 말미암아 쉽게 발견할 수 있기 때문이다. 따라서《인정》의 습득여부로 다른 플레이어의 레벨을 판단하는 것은 비합리적이다.《인정》은 게임을 플레이하면서 얻을 수 있는 수많은 스킬 중 하나에 불과하며, 그 자체로 목적이라기보다는 더 원활한 게임을 플레이하기 위한 수단에 가깝다.

대화

설명	타 플레이어와 의사소통합니다. 오래 사용할 시 HP와 MP가 감소합니다.
선행스킬	없음

플레이어 Z는 말 그대로 플레이어였다. 가령, 게임 속 플레이어는 제각각 고유한 능력치를 갖고 있다. 그러나 같은 능력치의 플레이어도 조작하기에 따라, 배치하는 위치에 따라 전혀 다른 퍼포먼스를 보인다. 하물며 비디오 게임도 그런데. 필드 한 쪽으로 '그 대머리'가 걸어가고 있었다. Z는 오늘 담판을 지을 작정이었다.

Z는 꽤 겸손하게 접근했다. 그러나 대머리는 그마저도 불편한 기색이었다. Z는, 제가 말싸움을 하고 싶다고 생각한다면 그냥 가겠습니다, 했다. 대머리는 마지못해, 좋아, 난 선수들과 대화하는 걸 좋아하니까, 라고 대답했다. Z는 솔직하게 말했다. 당신이 나를 좀 더 제대로

써주길 바란다, 난 자유롭고 싶다, 더 이상 남을 위해 희생하고 싶지 않다… 대머리는 턱을 괴고 골몰히 생각하는 모양이었다. 그리고, 알겠네, 이건 내 문제니까 내가 알아서 해결하겠어, 라 대답했다. Z는 기뻤다. 마침내 대머리가 문제를 해결하겠다고 했으니까. 그러나 그 뒤로 대머리는 Z에게 아무 말도 꺼내지 않았다. Z는 투명인간이 됐다. 대머리의 해결방식이었다.

상세 언어적, 비언어적 수단을 이용해 의사를 주고받는 행위. 게임 상에서 거의 대부분의 플레이어들이 사용하는 스킬이다. 다만《대화》스킬 자체를 높은 수준으로 구사하는 사람은 의외로 많지 않다. 높은 레벨의《대화》는 단순한 언어적 동질성을 넘어서 이루어진다. 사용 언어가 같다고 해서 플레이어 개개인이 정의하는 단어와 표현의 뜻까지 같지는 않기 때문이다. 마이클 샌델이라는 플레이어는 단지 '정의Justice'라는 단어를 설명하기위해 443

쪽 분량의 책을 쓰기도 했다.

두 명 이상의 플레이어가 함께 사용하는 스킬로 알려져 있다. 모 플레이어들은 혼자서도《대화》를 사용할 수 있다고 주장한 바 있다. 다만 나 자신과의 대화는 정신계 스킬에 가까우므로 논외로 한다.《대화》의 대상이 꼭 사람일 필요는 없는 것으로 보인다. 숙련도에 따라 개, 고양이, 돌고래, 바다표범, 코끼리, 뱀과도 어느 정도의 의사전달이 가능한 것으로 밝혀졌다. 한편 정신계 스킬인《존중》을 습득할 경우《대화》의 숙련도가 크게 증가한다는 분석이 있다.

사실상 모든 플레이어가 많든 적든 매일같이《대화》를 사용하고 있다. 다른 플레이어와의 유기적 상호작용이 이 게임의 핵심 콘텐츠이기 때문이다. 여러모로 이 게임을 플레이하면서 피하려야 피할 수 없는 스킬이다. 때문에《대화》 자체를 게임에서 제공하는 가장 흥미로운 콘텐츠로 생각하는 플레이어도 있다. 실제로 많은 플레이어가《대화》를 특정 목적을 달성하거나, 다른 스킬을 획득하기 위한 수단에 불과하다는 관점을 갖고 있다.

《대화》는 플레이어의 성향, 받아들이는 자세에 따라 정신적 에너지를 소모하는 스킬일 수도, 도리어 회복하는 스킬일 수도 있는 양면성을 지녔다. 만약 당신이 대화를 '어쩔 수 없는 것', '피할 수 없는 것'으로 생각한다면, 짧은 대화로도 의사를 정확하게 표현할 수 있게끔 연습하는 것도 좋겠다. 피할 수 없는 것은, 억지로 즐기기보단 최소화하는 쪽이 좋으니까.

사회계

사교

설명 습득 시 MP의 총량이 증가하며, 함께 습득한 플레이어에게 여러 도움을 주고받을 수 있게 됩니다. 숙련도가 낮을 경우 지속적으로 MP를 소모합니다.

선행스킬 《대화》

상세 사람과 사람이 친해지고 관계를 발전시키고자 하는 욕구는 어디에서나 발현된다. 《사교》는 두 명 이상의 플레이어가 함께 사용함으로서 정의 가능한 관계를 구성하는 행위다. 어색한 대화로부터 시작해, 자라고 자라는 관계는 타 플레이어와의 다양하고 지속적인 소통이 가능하게끔 한다.

기본적으로 《대화》를 통해 자연스레 습득하는 스킬이지만, 《사교》를 사용함으로서 《대화》의 숙련도가 늘기도 하며, 나아가 정신계 스킬의 획득에도 상당한 영향을 미친다. 그러나《사교》가 이뤄진다고 해서《대화》역시 잘 이루어지는 것은 아니다.《사교》로 구성된 관계는 시간에 따른 플레이스타일의 변화, 육성 방향성 수정, 스킬 유지를 위해 필요한 최소한의 정신적 리소스 부족 등으로 인해 대부분 해체된다.

게임 내에서는《인정》이 불특정다수의 플레이어와 쉽게《사교》를 맺을 수 있도록 한다는 점을 이용, 게임 초반부터《연구》에 투자해《인정》을 습득한 뒤《사교》에 모든 자원을 투자하는 전략이 유행하고 있다.《사교》는 정신계를 제외한 모든 계열의 스킬 습득을 쉽게 만들기 때문이다. 그러나 타 스킬 습득을 위한 수단으로서《사교》를 이용한 플레이어는 오랜 기간 심리적 부채에 시달린다. 게다가 장기적으로 정신계 스킬 전반에 부정적 영향력을 행사한다는 점.《사교》에 의존해 습득한 상위 스킬이 오래 유지되지 않는다는 점 등이 밝혀지고 있어 메타가 변화할 가능성도 높아지고 있다.

사랑

설명 사용 시 약간의 HP를 소비하고 MP를 크게 회복합니다. 숙련도가 낮을 경우 HP와 MP 모두 크게 감소하며, 지속적인 MP감소가 일어날 수 있습니다.

선행스킬 《사교》《존중》

미숙한 사랑은 '당신이 필요해서 당신을 사랑한다'라고 하지만 성숙한 사랑은 '사랑하니까 당신이 필요하다'고 한다.

Immature love says, I love you because I need you, mature love says, I need you because I love you.

- 윈스턴 처칠

상세 오늘날 많은 플레이어들이 게임의 목표로 꼽고 있는 스킬이다. 흔히 《사랑》을 사람과 사람 사이, 특히 이성간의 관계를 전제로 생각하는 플레이어가 많다. 그러나 《사랑》의 대상은 이성인

인간에 국한되지 않는다. 《사랑》은, 동성은 물론 반려동물이나 물건, 경험, 심지어 자기 자신과도 가능한 만능 스킬이다. 물론 《사랑》은 메아리처럼 돌려받을 수 있는 상황일 때 더 오래 유지되며, 효과 역시 극대화된다.

짧은 시간 동안 막대한 정신적 행복감을 주기 때문에, 잘만 사용한다면 이 게임에서 가장 사기적인 성능을 가진 스킬 중 하나다. 그러나 강력한 성능만큼 리스크도 존재한다. 높은 숙련도로 유지되던 《사랑》이 중단될 때는, 그동안 얻었던 행복감을 모두 덮을 정도만큼 큰 정신적 타격을 입는다. 다만 이 같은 타격은 극복하기에 따라 다양한 정신계 스킬의 습득에 도움을 주므로 마냥 나쁜 것이라곤 할 수 없다.

한편, 꽤 많은 플레이어가 《사랑》을 생물계 스킬 《해소》와 혼동하곤 한다. 실제로 《사랑》이 《해소》의 숙련도에 미치는 영향이 적지 않지만, 《해소》가 곧 《사랑》은 아니다. 단지 《해소》를 위해 숙련도가 낮은 《사랑》을 이용하는 것은 가급적 지양해야 한다. 수단으로 사용된 《사랑》은 관여된 모든 플레이어에게 지속적인 정신적 피해를 입히며, 갈등이 심해질 경우 물리적 다툼으로 번질 수 있기 때문이다.

《사랑》의 숙련도를 올리는 과정은 곧 플레이어가 《사랑》을 무엇으로 정의할지를 고민하는 과정과 같다. 상기했듯 《사랑》은 정해진 형태나 기준이 없기 때문에, 이 광활하고 불확실한 게임 속에서 어떻게 추구하고 활용할지를 결정하는 것까지도 오롯이 플레이어의 몫이라 할 수 있겠다.

사회계

외모

설명 캐릭터 생성 시 일정한 확률로 습득되거나, 게임 내 특정 콘텐츠를 이용하여 일부 습득할 수 있습니다. 숙련도에 따라 사회계 스킬 전반의 습득이 쉬워집니다.

선행스킬 없음

플레이어 P는 몸이 좋지 않았다. 어렸을 때부터 다리를 절뚝였고 체구는 왜소했다. 객관적으로 P에게서 외적인 매력을 찾아낸다는 것은 힘들었다. 열등감, 콤플렉스! P는 결핍한 자신을 채우기 위해 책을 읽고, 학습하고, 사상을 키웠다. 그러나 사람들은 P의 내면을 들여다봐줄 만큼의 여유는 없었던 것 같다. P를 가둬놓은 세계는 P의 외모만으로 P를 판단했다. P는 자신을 설명하기 위해 부단히 노력했다. 이따금 목소리도 냈다. 그럼에도 P를 바라보는 사람은 많지 않았고, 진정성도 없었다. P는 단지 자신의 능력과 재능, 그리고 내적인 우월함을 인

정받고 싶었다.

어째서 내 이야기를 듣지 않지? P는 똑똑한 사람이었다. 얼마나 똑똑했느냐면, 똑똑하지 않은 사람들이 자신처럼 똑똑한 사람의 말에 귀 기울이지 않는 이유를 알아낼 정도로 똑똑했다. 사람들이 P의 이야기를 듣지 않은 이유는 P가 하는 말이 어려워서도, P의 외모가 허접해서도, P가 가진 사상이 오만불손해서도 아니었다. 그저 사람들 자신의 이야기가 아니었기 때문이었다. P는 깨달음을 얻었다. 그리고 결심했다. 내 너희들의 이야기를 대신 해주겠노라고.

상세 안면의 균형, 육체미를 비롯한 외적인 아름다움을 상징하는 스킬이다. 그러나 인간이 느끼는 아름다움의 기준은 플레이어들이 처한 상황과 시대적 배경, 사회적 분위기에 따라 천차만별로 바뀐다. 다양한 사회가 아름다움의 기준을 제각기 다르게 정의하고 있기 때문에, 《외모》란 절대적 기

준이 아니라 사회에서 정의된 상대적 기준에 얼마나 가까이 있는지를 확인하는 것에 가깝다. 다만 세계화가 빠르게 진행되면서 아름다움의 기준은 차츰 통일되는 추세에 있다.

《외모》를 습득한 플레이어는 사회계 상위스킬인《매력》, 《인기》를 습득할 확률도 크게 높아진다. 덕분에 많은 플레이어들이《외모》를 원하거나 부러워한다. 불과 얼마 전까지만 해도《외모》는 캐릭터 생성 당시 랜덤으로 습득될 뿐, 다른 방법으로 얻을 수 없는 스킬이었다. 그러나 게임 내 콘텐츠의 발전으로 말미암아《소비》 혹은《연구》를 통해 어느 정도 후천적으로 습득 가능한 영역이 됐다.

상기했듯《외모》를 통해《매력》,《인기》와 같은 스킬을 쉽게 습득할 수 있다. 그러나《외모》만으로 습득한《매력》, 《인기》는 일정수준 이상으로 숙련도가 높아지지 않는다는 맹점이 존재한다.《사랑》의 성장에 있어서는 오히려 부정적 영향을 미치기도 한다.《외모》를 습득한 플레이어는 《해소》의 대상을 찾는 타 플레이어에게 더 쉽게 노출되기 때문이다. 《해소》와 《사랑》을 구분하지 못하는 플레이어와 교류하다가 상당한 정신적 데미지를 입는 경우가 수두룩하다. 물론 《외모》 자체에 깊이 있는 《사랑》이 가능한 플레이어도 있을 수 있다. 보통은 아니지만.

최근 게임 내 분위기와는 다르게, 《외모》는 절대적으로 좋은 효과만 있는 스킬은 아니다. 더구나 플레이 타임이 길어질수록 숙련도가 낮아지다가 종국에는 사라지기까지 한다. 사용하기에 따라 플레이에 도움이 될 수도, 도리어 악영향을 끼칠 수는 스킬. 이게 어떤 스킬에 할 수 없는 말이겠냐만….

매력

설명 | 습득 시 사회계 스킬 전반에 대한 접근성이 높아집니다. 숙련도에 따라 MP가 일정수준 아래로 내려가지 않습니다.

선행스킬 | 《대화》, 《존중》, 《이해》

상세 《외모》가 인간의 외적 아름다움에 한정된 스킬이었다면, 《매력》은 인간 자체로부터 내뿜어지는 좋은 기운, 주위에 좋은 플레이어들을 끌어들여 자신의 편으로 만들 수 있는 능력 전반을 상징하는 스킬이다. 《외모》는 《매력》의 습득에 직간접적인 영향을 미치나 필수적인 스킬은 아니다.

《매력》을 습득한 플레이어는 《대화》에서도 남다른 숙련도를 보인다. 어떤 상황에도 상대방에 대한 배려가 느껴지도록 말하며, 《존중》을 바탕으로 경청하는 자세가 우수

하다. 또한《이해》를 통해 자신만의 행동양식과 플레이 스타일을 갖춰나가는 모습은《매력》의 습득에 상당한 역할을 한다.

그러나《매력》의 유무가 곧 인간사회에서 정의되는 도덕성과 직결되는 것은 아니다. 플레이어의《매력》을 체감하는 대상 역시 플레이어이므로, 도덕성이 결여됐다고 느꼈을 때《매력》의 효과가 발현되는 것은 사실상 불가능하다. 도덕적으로 완벽한 사람 혹은 절대선에 가까운 존재가 반드시《매력》을 습득하는 것도 아니다. 그래서《매력》으로 선악이나 도덕성을 구분하는 것은 퍽 무의미한 시도다.《매력》은《이해》를 바탕으로 플레이어 자신의 결함과 부족함을 인정하는 것으로부터 등장하기 때문이다.

사회계

인기

설명 습득 시 절대다수의 플레이어들로부터 낮은 숙련도의《사랑》을 받게 됩니다.《노동》및《고급노동》의 부가가치가 대폭 증가하며, MP가 지속적으로 회복됩니다. 또. 사회계 최상위 스킬의 습득 확률이 높아집니다.

선행스킬 《매력》

D는 아름다웠다. D는 모두에게 사랑받았다. D는 행복해야했다. 그래서 D는 슬펐다. D는 죽어가고 있었다. 그러나 D는 모두에게 사랑받았다. D는 죽음에 임박했다. D에게 카메라 플래시가 쏟아졌다. D는 죽었다. D의 죽음에 모두가 슬퍼했다. 모두가 D를 사랑했었기 때문에.

상세 수많은 타인들로부터 지속적인 관심과 《사랑》을 받을 수 있는 스킬. 《매력》이 개인과 작은 인간관계 속에서의 관심을 이끌어내는 것이라면, 《인기》는 대중 앞에서 《매력》을 인정받고 《사랑》받을 자격을 증명하는 것이라 볼 수 있다. 사람들로부터의 관심과 《사랑》은 그 깊이나 숙련도에 관계없이 해당 플레이어에게 높은 심리적 만족감을 제공한다.

《매력》을 습득한 모든 플레이어가 《인기》를 습득하는 것은 아니다. 자기 어필, 자아표현에 대한 욕구가 강할수록 습득확률이 높다. 《인기》는 습득 시에 《사교》의 숙련도를 상승시키며, 《노동》과 《고급노동》으로부터 발생하는 부가가치가 크게 늘어나기 때문에 《축적》을 습득할 확률도 매우 높아진다. 덕분에 《축적》을 위해 《인기》를 습득하고자하는 플레이어들도 상당수 있다.

그러나 《인기》를 습득한 플레이어는 습득하지 않은 유저들에 비해 더 높은 도덕적 기준을 강요당한다. 선행스킬인 《매력》이 도덕적인 손상 앞에서는 효과를 볼 수 없기 때문이다. 또한 《인기》는 지속적 관리가 없을 시 금방 증발해버리는 스킬이므로, 자기 어필을 위한 기회에 집착하고 대중에 입맛에 맞춰 눈치를 보게 된다. 결국 《인기》는 지속적으로 에너지를 회복할 수 있는 스킬이지만, 장기간 유지하기 위해 또한 많은 에너지가 필요한… 약간 골때리는 스킬이라고 할 수 있다.

《인기》는 수많은 플레이어로부터 조건 없는 《사랑》을 받게 하지만, 그만큼 이유 없는 증오의 대상을 만들기도 한다. 무선통신 및 인터넷이 도래하게 되면서, 《인기》를 습득한 플레이어들 대부분은 대중이 품은 증오를 여과 없이 체험할 수 있게 됐다. 혼자이고 싶을 때와 개인적인 비극을 겪을 때 모두 대중의 눈앞에서 눈칫밥을 먹으며 행동해야 했다. 그래서 《인기》로 인해 받은 정신적 피해가 막심할 경우에는, 스스로 《인기》를 저버리거나 방치하는 플레이어도 등장하곤 한다. 《인기》란 과연 사람들이 기대하고 상상하는 것만큼 대단한 가치일까? 한 번쯤 생각해

볼 문제다.

사람은 대체로 관종이다

사회계

권위

설명 | 습득 시 특정 분야의 플레이어로부터 맹목적인 존경과 신뢰의 대상이 됩니다. 《대화》 및 《사교》로 이루어진 관계에서 대부분 우위를 점할 수 있게 되며, 숙련도에 따라 다수 플레이어의 행동양식과 사고방식에 영향을 끼칠 수 있습니다. 단, 스킬 유지를 위해 꾸준한 《연구》가 필요합니다.

선행스킬 | 《인정》, 《사교》

아마도 플레이어 C는 세계에서 가장 재미있는 사람이었다. C는 사람들을 즐겁게 만드는데 재능이 있었다. 노력 끝에 재능을 꽃피운 결과, C는 부와 명예 그리고 아리따운 부인까지 많은 것을 얻었다. 이제 사람들은 C의 얼굴만 봐도 웃고 행복해 한다. 그러나 C는 행복하지 않다. 매번 부딪히는 창작의 고통, 더 많은 것을 이뤄낼수록 몸집을 불리는 공허함, 낮밤을 가리지 않고 수시로 들이닥치는 우울함. 덕분에 C는 늘 우수와 슬픔에 얼룩진 표정이었다. 그러나 C의 눈빛이 슬퍼질수록 사람들은 더 행

복해 했다.

견디다 못한 C는 정신과 의사를 찾았다. C는 삼십 분 넘게 자신이 느끼는 스트레스와 우울함, 정서불안에 대해 토로했다. 의사는 C의 말을 쭉 듣다가 말했다. 잘 들었습니다, 약을 처방해줄 테니까 드셔 보시고, 그래도 약이 온전한 해결책은 아니니까요, 집에만 계시기보단 밖에 나와서 햇빛도 좀 보시고, 사람들을 많이 만나세요. 우울한 생각에 계속 잠겨있다간 더 깊어질 뿐이니까요, 즐거운 일들을 한 번 찾아보시는 건 어떻겠습니까, 좋은 음악을 듣는다든지, 재미있는 영화를 본다든지. 그 왜, 얼마 전에 개봉한 코미디 영화 있잖아요, 그게 정말 재밌습니다, 한 번 가보세요, 도움이 될 겁니다. C는 아무 말도 하지 않았다. 그 코미디영화는 C가 만든 영화였다.

상세 게임 내 플레이어들로부터 가치 있다고 평가되는 영역 중에서, 높은 수준의《인정》과《사

교》가 시너지효과를 내면서 습득 가능하다.《권위》에 도달하기위한《인정》의 숙련도에 특정한 기준은 없다. 다만 다수 플레이어들이 무지한 영역, 이렇다 할 전문가가 많지 않거나 사회적으로 희소성이 있는 분야에서는 비교적 낮은 숙련도의《인정》으로도《권위》를 습득하는 것이 가능하다.

《권위》의 요체는《연구》다. 사회에 무형에 가치를 제공하는 일에 한 플레이어가 쏟아 부은 시간과 에너지, 그리고 열정에게 대중들이 보내는 찬사이자 존경심이다.《사교》에 대한 투자가 거의 없이《연구》만으로《권위》를 얻기까지는 굉장히 오랜 시간이 걸린다. 아무리 크고 아름다운 보석이라도 땅에 묻혀만 있어서는 느낄 수 없는 것과 같다.

낮은 수준의《연구》와《인정》를 가지고,《사교》에 지나치게 의존함으로써《권위》를 획득한 유저들은 스킬을 남용하는 경향이 강하다. 많은 플레이어들의 플레이 스타일과 사회분위기에 영향력을 행사하는《권위》의 특성을 활용할 경우, 매우 쉽게《축적》을 습득할 수 있기 때문이다. 그러나 단순히《축적》에 대한 수단으로 습득된《권위》는 숙련도가 매우 낮으며, 타 플레이어와의 사회적 상호작용 속에서 쉽게 실추될 우려가 크다.《권위》에 대한 도전과 검증이 활발해진 최근의 분위기에서는 더더욱 그렇다.

신화

설명 뛰어난 매력과 능력을 바탕으로 거대한 사회적 가치를 창출해냄으로써, 다른 플레이어의 꿈과 희망, 신앙의 대상이 됩니다.

선행스킬 《인정》,《인기》

플레이어 T의 죽음은 비극이었다. T는 권투시합을 보러가던 어느 날, 정체모를 충격에 휩싸여 중상을 입고 혼수상태를 헤매다가 목숨을 잃었다. T의 시신은 화장됐고, 여전히 T의 죽음은 미제로 남아있다.

그러나 T가 노래한 삶은 비극적인 죽음과 함께 영원히 기억될 것 같다. T가 세상에 있었던 시간은 겨우 이십오 년이었고, 본격적인 흔적을 남기기 시작했던 것은 고작 육 년이었지만. T의 삶이 가진 강렬한 예술성은 우리를 둘러싼 세계 전체에 큰 영감을 던졌다. 오히려 T는 죽음으로써 영원히 살게 된 셈이다. T는 전설이다.

상세 《에반게리온》의 오프닝 테마곡 '잔혹한 천사의 테제'에는 소년더러 신화가 되라는 구절이 등장한다. 《신화》란 그런 것이다. 사회로부터 높게 평가받으며, 널리 사람을 이롭게 하고, 대체될 수 없는 가치를 창조해낸 플레이어는 게임 내에서 신적인 존재로 추앙받는다. 《신화》는 사회계 최상위 스킬로서, 단일 플레이어가 사회로부터 받을 수 있는 가장 높은 수준의 정신적 만족감이다.

《신화》를 습득하는 것은 이 게임 전체를 통틀어 가장 어려운 일 중 하나다. 우선 높은 숙련도의 《연구》와 《인정》이 필요하며, 《인기》를 통해 많은 사람들에게 존경과 사랑을 받을 수 있어야한다. 그러나 필수조건은 말 그대로 필수조건일 뿐. 이 스킬들을 모두 습득했다고 해서 자연스레 얻어지는 것이 《신화》라면 앞서 어렵다 표현하지도 않았을 것이다.

《신화》에 도달하기 위해서는 게임 속 다수 플레이어에

게 인정받으면서도 대체될 수 없는 가치를 만들어 내야 하는데, 과정에 대한 도덕적 검증과 플레이어 개개인의 주관적 평가를 받아야 한다. 요컨대, 제아무리 결과가 선하고 절대다수의 이익에 부합한다 하더라도 과정이 합당하지 않으면《신화》에 닿을 수 없다는 것이다. 업적달성의 과정이 논쟁의 대상이 된다면《신화》가 아니라 도전받는《권위》에 불과하다.《신화》란 맹목적 존경과 신앙의 대상이며, 플레이 타임이 끝나 게임을 마감한 뒤에도 플레이어들의 영감과 목표로서 영향력을 미친다.

그러나 어떤 위대한 업적을 달성하는데 있어서, 고결하고 순수한 방식을 끝까지 고수할 수 있는 플레이어는 거의 없다. 급변하는 환경과 사회적 흐름 속에 놓인 플레이어는《생존》을 위해 새로운 전략을 택하기 마련이며, 이 과정에서 변화와 타협에 대한 압박을 받기 때문이다. 이런 상황에서 개인의 의지나 고결함은 힘을 발휘할 수 없다. 인간은 태어날 때 갖고 있는 어떤 속성이나 가치를 죽는 순간까지 지키며 살아가는, 일관성 있는 존재가 아니다. 오히려 인간과 일관성은 서로 반의어 관계라 보아도 괜찮을 정도다. 인간은 수십 년에 달하는 플레이 타임 속에서 계속 자신을 바꿔가며 살아남기 때문이다.

따라서 《신화》를 습득한다는 것은 인류역사에 남을 업적을 《인정》받는 것, 존재의 순수성을 증명하는 것 모두를 해냈다는 의미다. 그 때문인지 실제로 플레이어가 《신화》를 습득하는 시점은 사후事後, 게임이 끝난 이후가 되는 일이 잦다. 그래서일까. 《신화》적 플레이어들은 대체로 일찍 생을 마감했다. 어쩌면 《신화》란 함께 이 게임에 태어난 플레이어로서, 아름다운 플레이에 대한 경의와 그리움 같은 감정에 가까울지도 모르겠다. 존, 에이미, 로이, 동주와 재하에게 우리가 품는….

4-3 생물계 : 먹고 자고 하고 싸고

식욕, 성욕, 수면욕, 생존의지 등 생물적인 욕구가 중심이 되는 스킬들이다. 의도하지 않아도 자연스레 습득되는 경우가 대부분이다.

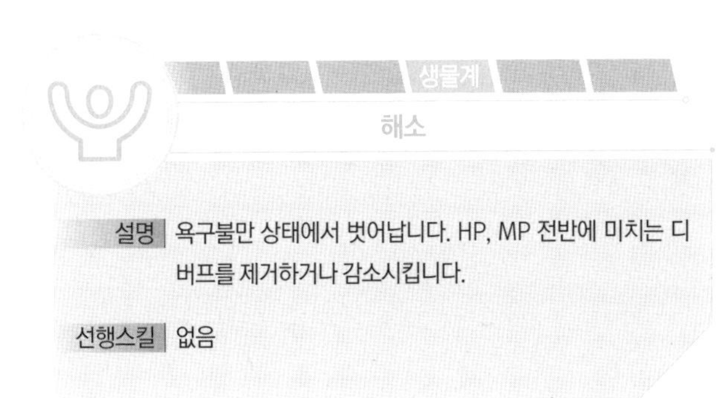

플레이어 G는 젊은 나이에 거의 모든 것을 이뤘다. 호화로운 궁궐, 엄청난 양의 보물, 매일 정성스럽게 준비되는 산해진미, 시중드는 하인들과 아름다운 여인들까지. G의 운명은 인간이 느낄 수 있는 모든 행복을 한데

모아 진열해 놓은 것이었다. 세상에서 가장 진귀하고 중요한 존재, G는 어느 하나 부족할 틈조차 주지 않는 쾌락의 연속에 있었다. 마치 영원히 계속될 것만 같은.

그러던 어느 날이었다. G는 하인과 함께 동쪽으로 산책을 나갔다가, 여태껏 본 적 없는 괴이한 인간을 발견했다. 괴인은 온몸이 거칠고 지저분한 각질과 주름으로 뒤덮여있었고, 가만히 숨만 내쉬는데도 눈물과 콧물 그리고 침이 뚝뚝 흘러나왔으며, 활처럼 굽은 등을 지팡이로 간신히 지탱하고 있었다. G는 놀라 하인에게 괴인의 정체를 물었다. 하인은 말했다. 주인님, 저 자는 노인입니다. 사람은 누구나 시간이 지나면 늙고 병들어 노인이 됩니다. G는, 그럼 나와 너도 그런가, 하인은, 예, 그렇습니다, 하고 대답했다. G는 충격에 휩싸였다. 이 세상에 태어난 사람 중 어느 누구도 흐르는 시간을 거스를 순 없었다. 아무리 귀하게 태어나 자란 자도 언젠가는 늙고 병들며 죽어가는 흐름 속에 있다. 필멸하는 존재들은 모두 순간의 쾌락을 쫓다가, 무기력하게 사라진다. G의 세상은 어느새 괴로움으로 가득 차있었다.

상세 인간은 동물이다. 동물은 생리적 욕구를 느끼도록 설계돼있다. 따라서 인간은 생리적 욕구를 느낀다. 요컨대 동물과 인간이 교집합을 이루는 욕구들 – 식욕, 성욕, 배설욕, 수면욕 – 로부터 받는 스트레스의 제거 과정 전반을 《해소》라고 할 수 있다.

인간을 포함한 모든 동물은 생리적 욕구를 해결하지 못할 때 극심한 고통과 스트레스를 받게 되며, 오랜 시간 이어질 경우 생명에 영향을 미치게 된다. 《해소》를 통해 욕구불만 상태를 벗어나는 것은 인간으로서 이 게임을 플레이하는데 가장 기초가 되는 일이기도 하다. 그 어떤 플레이어도 《해소》를 사용하지 않고 게임을 진행할 수 없다.

그러나 《해소》는 가장 필수적이면서도 가장 경계해야 할 스킬이다. 인간이 《해소》를 사용하게끔 만드는 공식은 매우 교묘하게 짜여 있는데, 가장 대표적이라 할 수 있는 것이 《해소》 시에 느낄 수 있는 쾌락이다. 《해소》에 의

한 쾌락은 스트레스가 누적될수록 크고 강력해진다. 예컨대 사흘 동안 굶다가 밥을 먹거나, 한 달 만에 자위를 하거나, 고속버스 안에서 두 시간 동안 참았던 볼일을 보거나, 이틀간의 밤샘작업을 끝내고 기절하듯 잠드는 것에는 그간 받았던 스트레스를 잊게 할 만큼 강렬한 쾌락을 동반한다.

이 같은 쾌락 덕분에, 어떤 플레이어들은 다른 스킬들을 오로지《해소》만을 위한 수단으로 취급하기도 한다. 그러나《해소》로부터 오는 쾌락은 매우 일시적이다. 생리적 욕구에 의한 갈증은 영원히 – 다시 말해 게임이 끝나는 순간까지 – 채워지지 않는다. 질적으로 큰 차이가 없는 가치의 연속이며,《해소》에 의한 짧은 쾌락이 끝난 뒤에는 아득한 공허감과 무기력감이 뒤따라온다.

《해소》에 집착하는 플레이는 다른 계열의 스킬, 특히 정신계 스킬의 습득에 악영향을 미친다. 미련한 플레이어들은 비어가는 자신을 채우기 위해 더, 더 큰《해소》를 찾아 헤매지만 대부분 실패하고 만다. 원하던 크기의《해소》를 해낸다 해도, 짧은 시간 뒤에는 또 다른《해소》를 위해 방황하다가… 게임은 끝난다.《해소》가 인간에게 주는 쾌락은 사람을 떠나 하나의 생물로서 거절할 수 없는 유혹이다. 때문에 시작부터 내내 《해소》에 몰두하며 플레이하다 게임을 마감하는 플레이어들도 많다. 아니. 상당히 많다.

이 게임에서 어떤 플레이 방식으로 나아갈지 결정하는 것은 플레이어의 재량이므로, 《해소》에만 초점을 맞추는 플레이 방식을 수준 낮거나 고결하지 못하다고 비난할 수

채식주의자는 어쩌라고

는 없다. 단, 이 게임을 플레이하는 시간 전체를 통틀어 봤을 때, 《해소》의 쾌락이 차지하는 부분은 터무니없을 만큼 짧다. 그 짧은 순간을 위해 나머지 대부분의 삶을 스트레스로 채우는 것은 얼마나 비효율적인 플레이인가. 이 게임이 갖고 있는 다양하고 복합적인 콘텐츠들 중에는, 《해소》만을 경험하고 떠나기엔 퍽 아까운 것들이 많다고만 해두겠다.

생물계

경쟁

설명 | 생물 단계에서 자연스럽게 습득됩니다. HP와 MP를 소모시켜 다른 플레이어보다 유리한 상황을 만들어냅니다. 숙련도가 높아질수록 에너지 감소량이 체감합니다.

선행스킬 | 없음

플레이어 U에게는 사형선고나 다름없었다. 척추측만증이라고? 의사는 알기 쉽게 잔인한 통보를 해왔다. 당신의 척추는 선천적으로 휘어있기 때문에 골반의 균형이 맞지 않아요. 당연히 달릴 때 더 큰 압력을 받을 수밖에 없고요. 장기적으로 햄스트링, 허벅지 근육에 이상이 올 겁니다. 출발도 느려질 거고, 가속도 느려지고요. 아무래도, 육상을 지속하기엔 무리가 있지 않겠습니까… U는 눈을 질끈 감았다. 그럼에도 U는 사형수의 마음으로 대회에 참가했다. 이제와 멈출 순 없었다. 소중한 가족과 친구, 조국이 모두 U가 뛰는 모습에 희망을 걸고

있었다.

U의 출발은 나쁘지 않았다. 마침 자신 있는 일번 트랙이었다. 그리고, 몇 초가 지나 코너. 코너를 돌면서 U의 보폭이 경쟁선수들의 앞으로 향하는 순간. 고통이 찾아왔다. U의 하반신은 고작 십 초를 더 버티지 못해 질주에 제동을 걸었다. U는 극심한 고통으로 절뚝거리면서도, 나아가려 애썼다. 그러나 경쟁자들은 기다려주지 않았다. 그새 결승선을 통과해 조국기를 몸에 두르고 있었다. U는 주저앉고 싶었다. 이제 모든 게 끝났다. 지금 완주하는 것이 무슨 의미가 있을까. 전속력으로 달리긴커녕 걷기도 힘들었다. 결과는 이미 정해졌고, U가 아무리 애를 쓴들 바뀌는 것은 없다. 그래도 걸을 수밖에 없다. 앞으로 갈수밖에 없다. 결승선이 저기 있으므로.

상세 자연 속에서 모든 생물은 경쟁상태에 놓여 있다. 정자단계에서부터 시작된 우리의 경쟁은 게임을 마감하는 시점까지 피할 수 없는 요소

다. 다른 개체와 비교해 우위를 점하고자 하는 욕구, 앞으로 나아가고자 하는 욕구, 쟁취하고자 하는 욕구 모두가 본능적으로 갖고 있는 이 스킬 때문에 발생한다고 볼 수 있다.

《경쟁》은 태어나면서 그냥 습득되는 스킬이므로, 다른 플레이어와 비교하려면 습득 여부가 아니라 숙련도를 기준삼아야 한다. 인외동물의 경우《경쟁》의 낮은 숙련도는 곧바로 죽음으로 이어진다. 그러나 인간은 문명을 이루고, 생명주의, 천부인권설 등을 바탕으로《경쟁》이《생존》자체에 미치는 영향을 조금씩 줄여왔다. 덕분에 오늘날에는 플레이어가《경쟁》에 집중하지 않더라도 게임을 지속할 수는 있게 됐다.

그러나 대부분의 플레이어들은 여전히 희소한 자원이나 가치를 차지하기 위해《경쟁》을 강요받는 상태에 놓여 있다.《생존》에 치명적인 영향을 미치지 않을 뿐, 게임 속의 다양한 콘텐츠를 확보하기 위해 직간접적인《경쟁》을 죄 피하긴 불가능에 가깝다.《경쟁》의 높은 숙련도는 플레이어의 물질계, 사회계 스킬의 습득 확률을 높이고 더 많은 가치를 획득하도록 돕지만, 정신계 스킬에 대한 접근성을 크게 낮추기도 한다.

《경쟁》 자체를 인간의 본질로 여기고 '피할 수 없다면 즐기자'는 관점에서 접근하는 플레이어도 많다. 《경쟁》을 통해 모든 스킬과 콘텐츠를 확보할 수 있다는 의견도 있다. 그러나 재미있는 사실은 《경쟁》이 물리적, 정신적 에너지를 소모해 생물로서의 생존 가능성을 높이는 스킬임에도 불구하고, 숙련도를 계속 높이면서 갈등을 심화시킬 경우, 불시에 게임이 종료될 수도 있다는 것이다. 나 아닌 다른 플레이어에 의해서!

생물계

번식

설명 유성생식을 통해 플레이어의 정보 일부를 다음 세대로 전달합니다.

선행스킬 《해소》

플레이어 L은 더 이상 들을 수가 없었다. 자식을 낳고도 안을 수 없었다. 테이블 위에는 커피가 끓고 있었다. 냄새가 좋았다.

상세 포유류는 유성생식… 그러니까, 섹스를 해서 《번식》한다. 단일 플레이어의 플레이 타임은 정해져있고, 아무리 오래한들 일정 시간 이상 플레이할 수 없다. 그러나 플레이어는 《번식》을 통해 자신의 캐릭터 정보를 게임 속에 남길 수 있다. 이

렇게 남겨진 정보는 어떻게 쓰이느냐고? 당연히 새롭게 게임을 시작하는 플레이어의 스탯을 결정하는 데 쓰인다. 이 게임은 《번식》을 통해 모든 플레이어들이 제각기 고유의 스탯과 정보를 갖고 플레이할 수 있도록 만들었다. 머리 좀 썼다. 예상치 못한 현상이 하나 발생하긴 했지만.

성적인 부분에서 《해소》가 제공하는 쾌락은 사실 《번식》을 유도하기 위한 장치였다.

그러나 많은 플레이어들의 연구와 분석의 결과로서 인류는 《해소》와 《번식》을 구분해 사용할 수 있게 됐고, 《번식》은 뭐… 나중에 생각하고 싶은 것 혹은 《해소》의 과정에서 실수로 이루어지는 것으로 여겨지는 모양이다. 플레이어들의 발전과 함께 취급이 상당히 애매해진 스킬이라 할 수 있다.

심지어 인간은 자신의 정보를 물려받은 신규 플레이어를 이십 년 가량 돌보면서, 스스로 게임을 플레이할 때까지 보호해야 한다는 암묵적 룰을 공유하고 있다. 이십 년

이 어떤 시간인가. 통상적으로 알려진 평균 플레이 시간이 팔십 년인데, 그 중 삼분의 일은 잠시 로그아웃(잠)하느라 써버린다. 여기에 기억도 안 나는 유년시절을 빼면 약 오십 년 정도가 남는다. 그러니까, 《번식》을 사용하면, 실질적인 게임 플레이 시간의 4할 가량을 '내 정보가 삽입된 뉴비'의 게임 적응을 돕는데 쓰는 셈이다. 오, 이런.

게임 속에서 《번식》의 성공은 플레이어의 플레이 다양성 감소를 의미한다. 때문에 플레이어들은 생물 종으로서 자신의 정보를 게임에 남기는 것과, 플레이어 자신의 만족감을 쫒는 것 사이에서 고민한다.

그러다 후자를 선택하게 되면, 그냥 그렇게 플레이하다 끝나는 것이다. 게임 속에 꼭 내 정보를 남길 필요가 있느냐 하면, 딱히 대답할 말이 없다.

이 같은 현상을 '생물의 진화 과정 속에서 이루어지는 자연도태'라고 주장하는 플레이어들도 있다. 그러나 《번식》의 사용 비율은 고도화된 사회일수록 더 낮게 나타나며, 《연구》 및 《인정》의 숙련도가 높을수록 또한 낮아진다. 새로 유입되는 플레이어들이 높은 게임 난이도로 고생하는 것은 이 때문이다.

굳이 이 현상을 한 단어로 요약하자면 '평균 난이도 조절' 정도가 적당할 듯하다.

생물계

생존

설명 플레이타임이 길어질수록 숙련도가 높아집니다. 숙련도가 일정수치 이상에 다다르면 게임이 강제 종료됩니다.

선행스킬 없음

플레이어 F는 게임 종료를 목전에 뒀다. 눈의 초점이 희미했다. 바로 눈앞의 죽음도 보이지 않을 정도였다. 다만 보이지 않는 것이라도 느낄 수는 있다. F는 곧 죽는다. F의 애인이 옆에서 말을 걸었다. 괜찮아, 일어날 수 있겠어, F는 힘없이 대답했다. 아니, 자기야, 이제 끝날 것 같아, 사람을 불러줘.

애당초 F는 치료를 거부했다. 완치될 수 있는 병도 아니었고, 더 오래 살 수 있다는 보장도 없었다. 보장이 있다한들, 지금 상태로 조금 더 살아남는 것이 의미가 있을까. F는 1년간 죽은 듯 살아왔다. 그런 F가 사람을 불러 이야기를 하는 것은 이례적이었다. F는 자신이 치료할

수 없는 병에 걸렸으며, 살날이 얼마 남지 않았다는 이야기를 털어놓았다. 어째서 F가 마지막에 다다라 말을 꺼냈는지는 알 수 없다. 죄책감 때문이었을까? 삶에 대한 아쉬움 때문이었을까? F는 홀로 답을 간직한 채 다음날 죽었다. F의 장례식은 조용히 이뤄졌다.

상세 이 게임에서 플레이 타임이 중요한 자원인 이유. 그 어떤 플레이어도 이 스킬의 영향력에서 벗어날 수 없다. 플레이어는 게임을 시작하면서 동시에 시작되는《생존》으로 인해 수많은 욕구를 느끼게 된다. 이 욕구들은 플레이어로 하여금 스킬을 비롯한 게임의 수많은 콘텐츠를 필요로 하게 만드는데, 이 때가 본격적인 게임의 시작이다.

이왕 시작한 거 모든 스킬과 콘텐츠를 즐긴 뒤 게임을 끝낼 수 있다면 얼마나 좋겠는가. 우리는 이 넓고 넓은 우주 속에서 지구 하나조차 모두 경험하지 못하고 게임을 끝내야 한다. 이 게임은 디즈니랜드 입구에 선 어린 아이에게 겨우 삼십 분만 주는 게임이다. 대부분의 플레이어는 아무것도 모른 채 시작해서, 기대감과 함께 별천지를 헤매다 허무하게 게임을 끝낸다.

이 게임에서 어떤 방향을 선택한다는 것은 다른 방향을 포기한다는 의미이기도 하다. 삶은 선택의 연속이면서 포기의 연속이다. 무언가 포기하는 것에 익숙하지 않은 플레이어들, 게임이 너무 어렵게 느껴지는 플레이어들, 그냥 이 게임이 마음에 안 드는 플레이어들, 디즈니보다 워너브라더스나 유니버셜을 원하는 플레이어들은 스스로《생존》을 포기함으로써 게임을 종료하기도 한다. 결국, 오늘날 대부분의 플레이어들이《생존》을 포기하는 행동에 느끼는 감정이란, 어려운 게임을 같이하던 사람이 갑자기 접었을 때 느끼는 감정과 비슷하다 하겠다.

인간이란《생존》의 숙련도를 높이기 위한 맹목적 의지를 갖고 있지만, 동시에《생존》으로 인해 언젠가 끝을 맞이하게 되는 비극적 존재다. 게임 좀 해보겠다는 플레이어들을 이런 슬픈 존재로 태어나게 만든 심보가 참 고약하다. 뭐, 어쩌면 고약하기 때문에 공략할 가치가 있는 게임일지도 모른다. 디즈니랜드는 아직 한참 남았고, 어린 아이의 보폭은 좁고, 눈앞에는 뭔지 모를 것들만이 잔뜩 펼쳐져 있다. 어디로 걸을지는 당신이 결정해야 한다.

4-4 정신계 : 나에게로 떠나는 여행

삶의 의미와 목적에 대한 탐구욕. 세계와 우주를 향한 근원적 호기심을 바탕으로 습득되는 스킬들이다.

적당한 플레이타임, 정신건강에 도움이 됩니다

정신계

탐색

설명	사용 시 MP를 조금씩 회복합니다. 숙련도가 높아질수록 정신계 스킬의 습득확률이 높아집니다.
선행스킬	없음

플레이어 I는 멍하니 바다를 바라보고 있었다. 머얼리 수평으로 뻗은 바다로부터 철썩, 철썩, 덮여오는 파도, 때때로 반짝이는 모래사장과 미려하게 흩뿌려지는 햇빛. I는 지금의 위치가 퍽 정확하다고 생각했다. 알지 못하는 것들은 저멀리 수평선 너머까지 늘어져 있다. I는 백사장 앞에 주저앉아, 더 반짝거리는 모래와 조약돌을 골라내며 기뻐한다. 어쩜 알지 못하는 것이란 위대한 축복일지 모른다. I는 실의 대신, 미칠 듯한 두근거림과 기대감으로 살아갈 것이다. 모르는 것 천지의 바닷가에 놓여서, 눈과 피부에 닿고 느껴지는 모든 것이 신기하고 즐거운 어린아이의 마음으로.

상세 게임과 게임에 존재하는 모든 사물, 동식물, 현상과 추상적 개념에 대해 생각하는 일 전반을 《탐색》이라고 한다. 사색, 사유, 명상 등《탐색》과 비슷한 개념을 지닌 단어는 더러 있지만, '탐색'이 가지는 의미의 범위가 가장 넓다고 판단해 스킬의 이름으로 삼았다.

《탐색》은 이 게임에서 인간만이 가진 특성 중에서도 가장 이질적이다. 게임을 할 때, 게임의 주인공이 게임과 게임바깥의 세상, 그리고 자신의 존재의미에 대해 고민하고 생각한다고 하면 꽤 놀랍지 않을까. 명확한 목표나 목적을 제시하지 않는 이 게임의 특성 때문이기도 할 것이다. 게임의 목적을 찾는 게 목적이라니. 암흑드래곤을 물리치거나, 대마왕에게 붙잡힌 공주를 구출하는 것이 속은 더 편할지 모르겠다.

《탐색》의 범위는 우주와 우주 바깥의 세계까지 이를 수 있지만, 높은 수준에 이를수록 범위가 좁아지다가 결국 스스로에 이른다. 자기 존재에 대한 탐색은 정신계 스킬들의 전반적인 숙련도를 끌어올리며, 다른 계열의 스킬을 사용할 때 소모되는 정신에너지를 일정량 감소시키는 효과를 보이기도 한다. 다만《탐색》의 결과는《노동》과《연구》에 비해 체감하기 어려운 면이 있다. 그래서인지 게임 내에서는《탐색》에 오랜 시간을 사용하는 것을 낭비로 취급하거나 천대하는 분위기가 있다.

정신계

존중

설명 오랜 《탐색》 끝에 자신의 존재를 체감한 플레이어는 모든 플레이어에게 동료의식을 갖고 접근할 수 있습니다. 사회계 스킬을 사용함으로써 발생하는 MP소모가 크게 감소합니다.

선행스킬 《탐색》

상세 《존중》을 습득하기위해 어째서 높은 숙련도의《탐색》이 필요한 것인지 의아할 수도 있다. 사실 대다수의 사람들은 '존중'을 대화나 협상의 기술, 혹은 예의와 매너의 영역에 불과한 것으로 생각한다. 그러나 여기서 설명하는《존중》이란 단순히 상대방이 듣기 좋은 말이나 행동을 배려하며 수행하는 것이 아니다. 정신계 스킬로서의《존중》이란 사회로부터 자신의 인격을 보호하기 위함이 아니라, 마음 깊은 곳에서 진정으로 타인을 나와 같은 존재로서 인정하고 받아들이는 개념이다.

오랫동안《탐색》을 수행한 플레이어는 자신의 존재를 존중할 수 있게 되고, 이내 나를 넘어 존재 자체에 대한 존중을 할 수 있게 된다. 바로《존중》이 습득되는 과정이다. 배려나 공명심, 자아에 대한 집착에서 벗어나 비로소 경외하는 마음가짐으로 타인을 대하게 되는 것. 요컨대 다른 플레이어들을 적이나 아군이 아닌 이 게임을 함께 하는 동료로서 받아들이게 되는 셈이다.

《존중》을 습득한 플레이어는 정신적 스트레스에 쉽게 흔들리지 않으며, 인간관계에서 발생하는 분쟁과 갈등을 현명하게 해결하게 된다. 사회계 스킬 전반에 긍정적인 영향을 주고, 특히《대화》와《사교》의 숙련도를 크게 상승시킬 수 있다. 다만 생물계 스킬《경쟁》의 숙련도에는 부정적 영향을 끼치는데,《경쟁》의 숙련도가 높은 플레이어는《존중》을 습득하기 어렵다. 그러나《존중》과《경쟁》의 공존이 전혀 불가능한 것은 아니다.《존중》하면서 최선을 다해《경쟁》하는 것은 또 다른 차원의 멋짐일 것이다. 흡사 스포츠 정신처럼.

정신계

이해

설명 오랜 《탐색》 끝에 세계의 원리와 삶의 의미, 그리고 인간의 본질을 이해한 플레이어는 게임 플레이 전반에 능해집니다. 좋은 효과는 더 크게, 좋지 않은 효과는 더 작게 받습니다. MP가 항상 높은 수준으로 유지됩니다.

선행스킬 《탐색》

잠깐 동안의 정적이었다. 플레이어 M의 뇌리에 지난 시간이 흘러갔다. M의 시작은 초라했다. 생각해 보면 너저분하기도 했다. M의 기회는 호기심이었다. 매일 아침 쏟아지는 햇빛과 뒤늦게 일어나 움직이기 시작하는 사람들, 매일같이 마법과 같은 일이 일어나는 세계. 세상은 M에게 끊임없이 흥미로운 퍼즐 같았다. M은 단지 호기심을 따라 걸었다. 그러나 사람들은 M의 호기심에 위치를 건네거나, 가치를 매겨보려 안달이었다. 정작 삶을 비추는 것들은 어느 것 하나 돈으로 살 수 없는데도.

M은 심지 위에서 타오르는 촛불을 바라봤다. 그리고 여러분, 세상 어떤 보석이 이 불꽃만큼 밝게 빛날 수 있겠어요? 사실, 보석이 밤에 빛날 수 있는 것도 이 불꽃 덕분이죠. 불꽃은 어둠 속에서도 빛나지만, 보석은 보이지도 않아요. 양초는 스스로를 위해서 빛을 내면서, 사람이나 다른 사물을 위해서도 빛을 만들어 냅니다. 갈채가 쏟아졌다.

상세 《이해》는 한 명의 플레이어로서 게임의 작동원리를 깨닫고, 채울 수 없는 욕망에 대한 집착을 완전히 떨쳐낸 상태에서 습득할 수 있다. 게임 플레이 자체에서 정신적 에너지를 거의 소모하지 않게 되며, 시시각각 흘러가는 시간과 변화하는 상황 앞에서 의연하게 대처할 수 있다. 모든 것이 바뀌는 이 게임 속에서,《이해》를 습득한 플레이어들은 곧 불변하는 가치를 찾은 사람들이기도 하다.

《이해》의 습득에는,《존중》과 마찬가지로 오랜《탐색》이 필요하다. 그러나《탐색》자체가 시간적, 정신적 여유가 있을 때 사용하기 용이하므로, 일관되고 뭔가에 쫓기지 않는 상황일수록 습득 확률이 높아진다. 특히 강력한 믿음, 플레이의 방향성을 제시할 명확한 기준을 갖고 있는 플레이어는 비교적 쉽게 습득할 수 있다. 이 같은 조건을 정확히 만족하는 것은 수도자, 순례자, 성직자 정도가 있겠다.

《이해》는 절대적인 깨달음과는 거리가 멀다.《이해》를 습득하는 방식과,《이해》를 통해 플레이어가 파악한 세계관은 제각기 다르다. 각 플레이어들이 경험해온 세계가 모두 달리 존재하기 때문이다. 결국《이해》는 산봉우리 정상에 오른 것이 아니라, 정상까지 오를 수 있는 태도와 자세, 신념을 가진 상태를 일컫는 것이다. 그러나 많은 플레이어들이《이해》의 존재에 대해 의구심을 갖고 있으며, 일각에서는 일종의 최면상태나 정신승리의 일종으로 바라보는 관점도 있다. 그러나 이 게임은, 중요한 것들 대부분을 눈에 보이지 않도록 해놓았다. 정말이지 교묘한 게임이다.

자유

설명 우주에 대한 이해가 극한에 다다라 삶과 욕구에 대한 집착이 완전히 사라집니다. 습득 시 MP는 정의할 수 없는 값이 되며, 외부로부터 오는 모든 변화와 자극에 영향을 받지 않게 됩니다.

선행스킬 《존중》, 《이해》

플레이어 N은 짐을 싸고 있었다. 실상 짐을 싼다 하기에는 엉성했다. N이 챙긴 것이라곤 옷 몇 벌과 기타뿐이었다. N은 그대로 현관으로 향했다. 동거 중이던 여자친구가 뭐해, 어디 가려고? 하고 물었다. N은 시선을 주지도 않고, 응, 런던에 갈 거야, 같이 갈래? 라고 대답했다. 여자친구는 어처구니가 없었다. 무슨 소리야, 난 여기 직장이 있는데. 갑자기 런던은 왜 가려고? N은 대답했다. 그냥. 여자친구는 지금 가면 언제 올 거냐고 물었고, N은 모른다, 고 대답했다. 여자친구는 한숨을 푹 내쉬었

다. 나는 여기에 직장이 있어, 가려면 너 혼자 가. N은 그래, 안녕, 하고 문을 열고 나가버렸다. N은 영영 돌아오지 않았다.

상세 만화 『원피스』의 주인공 루피는, 자신의 궁극적 목표인 해적왕을 '세계에서 가장 자유로운 자'라 정의한다. 해적왕이란 작중에서 이 세상의 모든 것이라 표현되는 비보, '원피스'를 찾아낸 자에게 붙여지는 칭호다. 아직 만화가 완결되지 않은 시점이라 확언할 수는 없지만, 만약 루피가 정의한 해적왕의 의미가 실제의 의미와 일치한다면, 전설의 대비보 원피스는 곧 이 게임에서의 《자유》와 같은 개념일 것이다. 《자유》를 습득한 플레이어는 게임 속 어떤 플레이어보다도 자유로운 존재가 되기 때문이다.

플레이어가 스킬을 필요로 하는 이유는 모두가 결핍에 해당된다. 물욕, 소유욕, 명예욕, 소통욕, 성취욕, 식욕, 성욕…. 모든 욕구는 자신의 존재가 비어있다고 생각되기에 발생한다. 발생한 욕구는 만족, 불만족의 상태가 끊임없이 이어질 뿐 완전히 충족될 수 없다. 결국 더 거대한 목표를 찾아 헤매다가, 채울 수 없는 욕구로 인해 번뇌하고 고통받는다. 《자유》는 외부적 가치가 아닌, 내면의 가치로서 결핍된 자신을 채운다.

《자유》는 우주의 광활함이 아니라 자기존재의 깊숙함을 탐구한다. 《자유》가 불러일으키는 것은 또 다른 형태의 욕구나 더 큰 욕망이 아니라, 한 층 더 채워진 자신에 대한 만족과 행복이다. 가진 게 없어도 풍요롭고, 홀로 있어도 외롭지 않고, 애쓰지 않아도 늘 만족스럽다. 《자유》를 습득한 플레이어는 우주, 이 게임 전체를 있는 그대로 받아들여 자신의 것으로 만든다. 그러나 상술한 어떤 것보다 《자유》가 매력적인 스킬인 까닭은, 다른 계열의 최종스킬과 다르게 '이론상 모든 플레이어가 습득가능하다'는 점에 있다고 하겠다.

이렇듯 이 책의 궁극적인 목표 인양 쓰인 《자유》에는 한

가지 치명적인 맹점이 있다. 모든 것으로부터 해방됐기 때문에, 《생존》으로부터의 《자유》에 탐닉할 우려가 있다는 것. 모름지기 게임을 모두 끝냈다는 생각이 들면 끄고 싶어지는 법이다. 음… 근데 그러면 되려 죽음에 대한 욕구로 인해 번뇌하게 되는 것이니까… 씁. 지금은 모르겠다. 이 부분은 첨언하도록 하겠다. 내가 나중에라도 《자유》를 얻게 되면, 그때 가서.

THIS LIFE 100%

이 게임의 승리 조건

Log In

전 세계인들에게 사랑받는 전략 시뮬레이션 게임《시드 마이어의 문명》에서는 게임의 승리 조건을 크게 정복, 과학, 문화, 외교의 네 가지로 구분해 놓았다. 정복 승리는 문자 그대로 나 이외의 모든 문명을 정복했을 때 달성할 수 있는 승리, 과학 승리는 문명의 과학력을 끝까지 개발하여 지구 밖으로 떠나는 우주선을 쏴 올렸을 때 얻는 승리, 문화 승리는 관광 자원으로 모든 문명에 지배적인 영향력을 행세하게 되면 승리, 외교 승리는 도시 국가들과의 교류를 통해 세계 지도자로 선출되면 가능한 승리 조건이다.

게임에는 대개 승리 조건이 있다. 문명과 비슷한 전략 시뮬레이션 게임인《스타크래프트》는 맵 상에 있는 모든 적의 건물을 제거하거나(소위 '엘리'라고 부른다), 상대 유저가 전의를 잃고 GG 치고 나가면 승리한다.《젤다의 전설》 시리즈는 사악한 괴물로부터 젤다 공주를 구해내면 승리하고,《남극탐험》은 마하의 속도를 넘어서 달리는 펭귄으로 남극점 정복에 성공하면 승리한다.

그렇다면 이 게임의 승리 조건은 대체 뭘까? 안타깝게도 이 게임에는 설명서가 없다. 만약 있다 하더라도 승리 조건을 적어놓진 않았을 것이다. 일종의 스포일러가 될 테니까. 그럼에도 나는 그럴듯한 가설을 세워 네 가지 정도, 이 책에서 소개할 수밖에 없다. 이마저 없으면 예스24 리뷰에 무슨 말을 적겠는가? 쓰레기 같은 책, 목적도 결론도 없는 책, 돈 낭비하고 싶을 때 사는 책, 책장 장식으로도 아까운 책… 같은 후기가 올라올 것이고 나는 다음 책을 펴내기 위해 다른 출판사를 찾아야 할 것이다. 슬픈 현실… 아니, 게임이다. 흠흠.

가장 먼저, 기록한 숫자를 기준으로 할 경우가 있다. 사

플레이가 좀 더러우면 어떠냐, 스코어만 높으면 그만이지

실 가장 단순하고, 대부분의 게임에서 사용하는 방법이다. 스코어를 정해놓고 그 숫자를 끌어올림으로써 플레이어 간 랭킹을 매기는 것이다. 뭐, 이런 것들은 셀 수도 없이 많다. 인간은 뭔들 숫자로 바꾸지 못해 안달이기 때문이다. 자산총액, 시가총액, 최장 플레이 타임, 뭐 그런 것들. 게임 속에서 이런 숫자들로 순위를 매기는 놈들이 포브스Forbes, 기네스북Guinness book 같은 놈들이다.

둘째로, 생산한 가치평가를 기준으로 할 경우가 있겠다. 분명 사람들에게 가치가 있다고 느껴지는데도, 도저히 숫자로 바꾸기 어려운 것들이 있다. 이를테면 축구경기에서 수비수를 다섯 명 쯤 제치고 넣는 골과 원 터치 바이시클킥으로 넣은 골, 골키퍼의 실수로 어이없이 들어간 골은 모두 기록상 1골로 동일한 숫자를 가지지만, 골 하나 하나가 사람들에게 주는 인상은 제각기 다를 것이다. 수많은 플레이어들이 사람들에게 주는 가치는 상당부분 주관적인 영역이므로, 숫자로 바꾸거나 순위를 매기는 일이 까다로울 수밖에 없는데… 그걸 굳이 하는 놈들이 타임지TIME, 롤링스톤지Rolling Stone 같은 놈들이다.

플레이어 Y는 펜을 내려놓고 바닥에 드러누웠다. 방은 좁고 천장은 낮았다. Y는 부끄러웠다. 머언 고향에서 오늘도 구슬땀 흘리셨을 아버지 어머니. 이어지는 풍경은 타국의 대학에서 늙은 교수의 강의를 듣는 것이다. 한편 또 머언 곳에서 눈물과 피를 흘리고 있을 벗들. 이어지는 풍경은 육첩방에 앉아 원고지에 꾹꾹 얼빠진 글을

눌러쓰는 것이다.

Y는 아무 것도 흘리지 않는 스스로가 부끄러웠다. 펜을 놓고 드러눕는 것은 일종의 도피였다. 그러나 도망치는 자신에 대한 창피함은 잠깐의 시간차를 두고 뒤따라왔다. Y는 언젠가 찾아올 최후의 순간을 떠올려 봤다. 결국 나는 부끄럽게 죽을 것이다. 해가 떠올라도 얼굴이 빨개 볼 수 없을 것이다. Y는 잠깐 몸을 일으켜 촛불을 끄고, 눈을 감았다. 깜깜히 흐린 밤이었다. 창밖으로 비가 속살거렸다.

셋째. 게임 속에서 남긴 의미를 기준으로 할 경우가 있다. 플레이어들이 최초, 최후라는 단어에 환장하는 이유다. 왜, 흔히 하는 롤플레잉 게임에도 많다. 전 서버 최초 만렙 달성, 업데이트로 등장한 새 보스몹을 최초로 처치한다든가, 히든 스테이지를 가장 먼저 발견한다든가 하는. 이 게임에서도 별반 다르지 않다. 가가린, 암스트롱, 콜럼버스…. 이렇게 남겨진 의미들은 해당 플레이어의 아이덴티티를 영원히 정의하고, 나아가 다른 플레이어에게 유무

다음 업적 업데이트는 언제 되나요?

형의 영향을 미치게 된다. 그러나 인간사에서 그야말로 '영원히' 의미를 가질 수 있을만한 일들은 많지도 않거니와, 누구나 해낼 수 있는 것도 아니라는 점은 명확하다.

플레이어 Q는 업무시간 중이었다. 물론, Q가 하는 일은 업무라 하기엔 너무 즐겁게 느껴졌다. 세상에 비디오 가게 아르바이트만큼 완벽한 직업이 또 있을까? Q는 가게에 죽치고 앉아서 하루종일 비디오를 봤다. 손님이 오면 가게에 있는 비디오들 중에서 추천할만한 것들을 나열해줬고, 때때로 손님과 어떤 비디오에 관해 진지한 토론을 두어 시간씩 벌이기도 했다. 중요한 것은 Q가 이 모든 과정을 끔찍하게 사랑했다는 것이다.

물론 제 3자의 관점에서 Q는 가게 구석에 틀어박혀 종일 비디오나 보는 오타쿠에 불과한 인간이었다. 이와 별개로 Q가 삶으로부터 느끼는 행복은 거의 최고점에 다다라있는 것 같았지만. Q는 앞으로 살면서 이보다 더 행복할 수 있을지를 생각해봤다. 음, 글쎄, 없지 않을까. 그냥 궁금한 건 있는데. 이런 비디오를 직접 찍어서, 누

군가한테 보여주는 기분은 또 어떨까?

마지막. 플레이어가 느낀 행복의 총량을 기준으로 할 경우가 있다. 랭커가 되는 것보다는 얼마나 즐겁게 게임을 했는지, 얼마나 스스로의 플레이가 얼마나 만족스러웠는지로 게임의 승리를 판단하는 것이다. 이런 걸 어떻게 판단할 것인가? 숫자로 바꾸기? 개인이 느낀 행복을 어떻게 숫자로 바꿀 것인가. 태어나면서 죽을 때까지 뇌하수체에서 분비된 세로토닌이나 도파민의 총량? 흠, 만약에 정말 이런 걸 측정하는 사회가 된다면 참 슬플 것 같다. 이 기준으로 보면, 이 게임은 승리 조건조차도 플레이어가 결정하는 미친 게임인 셈이다. 그래도 나는, 숫자, 권위 있는 잡지사의 직원들이나 무수한 타인이 아니라 플레이어 스스로가 결정하는 쪽이, 조금은 더 멋있다고 생각한다. 그럼 나도 할 수 있으니까.

최근에는 게임 속에서의 아름다운 이야기 혹은 풍경을 감상하거나, 체험 및 시뮬레이션 그 자체에 초점을 두는 게임들도 등장했다. 다만 그런 게임들에도 명백한 승리는 아닐지언정 플레이어가 게임 내 콘텐츠를 잘 따라왔으며, 대략적으로 게임이 마무리 됐음을 알리는 이벤트 정도는 있다. 그렇다면 지금 우리가 하고 있는 게임, 이 게임의 승리 조건은 무엇일까. 우리 플레이어들은 어떤 가치를 찾아 이 게임을 시작한 것일까. 이런 질문들은 달리 말해 삶의 의미를 찾는 과정이기도 하다.

그러나 삶에 꼭 특별한 의미가 있어야 하는지, 반드시 어떤 위대한 목표를 달성해야하는지 하는 질문은 내가 아니라 당신 스스로 해야 한다. 우리가 하고 있는 게임은 《심즈Sims》같이 인간의 삶을 소재로 하는 체험형 게임에 불과할지 모른다. 게임은커녕 사실상 시뮬레이션이나 실험에 지나지 않을지도 모른다. 우리의 모든 플레이와 노력은 실질적으로 아무 의미가 없는 데이터 조각이며, 종국에는 몽땅 물거품이 되는… 우주의 먼지, 혹은 그보다 못한 일시적 현상에 불과한 존재가 우리의 본질일 수도 있다.

그럼에도 우리는 시간이 허락하는 한 계속 이어지는 게임 앞에 놓여있다. 우리가 알지 못하는 그 어떤 진실도, 이 사실까지 부정할 순 없다. 그리고 기왕지사 게임하는 거 조금이라도 더 재미있게 즐기는 것이 앞으로의 할 일이겠다. 내가 이 책을 쓴 이유는, 곧 당신이 책을 읽고 있는 이유와 같았다. 그럼… 나중에 못 볼지도 모르니 미리 말해두겠다. 안녕. 잘 지내길.

좋은 게임을 했다, 그거면 됐다

THIS LIFE 100%

에필로그
Thanks to

Log In

이미 다 끝난 게임을 계속해서 플레이해본 적이 있는가? 난 요즘 삶에서 비슷한 기분을 느낀다. 사실 '이 모든 삶이 단순한 가상현실 게임에 불과하다면 어떨까?'라는 발상도 같은 맥락에서 튀어나온 것이다.

지난 2017년 12월. 창업 후 2년 정도 지속해온 회사를 정리했다. 뭐 구구절절 사연이 없는 것은 아니지만, 당장은 널브러진 빚을 청산하기 위해 돈이 필요했다. 그래서 닥치는 대로 일거리를 만들어 대금을 받아냈고, 덕분에 한두 달간은 코피가 날 정도로 일만 한 것 같다. 정말 다행인 것은 빚을 갚을 수 있을 정도의 크고 작은 일거리들이 계속해서 들어왔다는 것, 그리고 그만큼 바쁘게 일할 만큼의 능력과 에너지가 내게 있었다는 것이다. 빚은 대부분 정리했고, '이거 안 갚는다고 날 죽이기야 하겠어' 싶은 사람들에게만 일부러 갚지 않고 있다. 나중에 더 크게 돌려주고 싶은 마음이 크지만, 사람 일이라는 것이 늘 마음같지만은 않다.

출판계약을 맺게 된 것 역시 당장의 빚을 갚기 위해 선

인세를 끌어오려는 목적이었다. 이렇게 말하는 것이 편집자분과 출판사 내외에 큰 실례인 것을 알지만, 사실이 그렇다. 급전이 필요했던 나는 『1인분의 삶』을 함께 작업한 박정훈 편집자님께 연락을 드렸고, '아무거나 샘플원고를 가져와 보라'라는 말에 미리 써놨던 단편소설을 갖다드렸다. 이곳저곳의 일에 치이면서, 복잡한 심상으로 급히 썼던 글이었다. 결국 그 원고는 까였다.

'쓰고 싶은 걸 좀 더 대중적인 언어로 번역하는 책을 써보는 게 어떻겠느냐'라는 말씀에 아이디어를 구상하기 시작했다. 그러던 중 실수로 아침에 항우울제를 먹지 않아 온종일 텐션이 낮았던 어느 날, 불현 듯 '×발, 이 삶은 그냥 게임이고 난 그저 플레이어일지도 몰라. 콱 로그아웃이나 해버릴까' 하는 생각이 들었고, 어, 잠깐, 하다가 허

겹지겹 수첩에다가 메모를 했다. 그게 이 책의 시작이었다. 시작부터 참 근본이 없어서 면목도 없다.

아무튼, 급한 불을 끄고 나서 먹고사는 일에는 지장이 없을 정도 삶으로 돌아왔다. 문제는 그동안 생각할 틈이 없어 느끼지 못했던 공허함과 우울함이었다. 창업을 하게 되면, 특히 창업자에게는 회사의 목표와 비전이 삶의 목적과 일치하는 경향이 생긴다. 나 역시 마찬가지였다. 회사의 비전이 곧 내 삶의 꿈이었다. 그런데 그 회사를 정리해버렸다. 지난 두어달 간은 '내가 차린 회사가 망했다'는 자각을 할 새도 없이 일에 파묻혔다. 일이 하나둘씩 정돈되고, 숨을 쉬고 생각을 할 수 있을 만큼 머리를 빼놓자 기약도 없는 공포감이 엄습했다. 이제 질문: 난 뭘 위해 살아갈 것인가?

다시 창업? 말이 안 되는 선택지였다. 첫 번째 창업에 할 수 있는 최선을 다했고, 그래서 한 톨 미련없이 끝냈기 때문은 아녔다. 오히려 반대다. 난 '하고자 하는 일'을 '하고자 하는 일을 위해 해야 하는 일들' 때문에 절반도 하지 못했고, 마지막 마무리는 인사人事가 뒤엉켜 나온 최악의 시나리오였다. 책임에 대한 두려움, 거듭된 실패에 대한 공포, 그리고 능력의 부재. 난 창업할 자격이 없는 사람이었고, 지금도 없는 사람이다. 차이가 있다면 2년 전과 달리 '자격이 없는 나 자신'을 체감할 수 있다는 것, 단지 하고 싶다는 마음만으로 도전한 결과란 참혹하기 짝이 없다는 사실을, 이제는 안다는 것이다.

어디 회사에나 들어가서 안정적인 삶을 도모할 것인가? 그러기에는 이미 벌려놓은 일들이 너무 많았고, 회사에

들어감으로써 잃는 기회비용이 너무나 크게 느껴졌다. 과연 내가 회사에서 정해진 업무를 한 달 동안 수행하고 받는 월급에 만족할 수 있을까? 주어진 일에 집중할 수 있을까? 아침에 출근은 잘 할 수 있을까? 동료 사원들과 대화는 잘 할 수 있을까? 다 떠나서, 대학 중퇴에 할 줄 아는 거라곤 글 쓰는 것과 삽질뿐인 나를 뽑아줄 곳이 어디 있기나 할까?

이도저도 안되어 남은 선택지라곤 매번 들어오는 일거리나 강연장을 전전하며 그때그때 먹고살 돈을 벌어 살아가는 것이었다. 이렇게 살면 당장 월 수백만 원은 너끈 들어온다. 거만한 얘기일 수 있어도 내 동년배에 이만큼 버는 사람이 얼마나 있을까? 가만 보니 나는 행복의 역치閾値가 참으로 낮은 인간이었다. 그래, 나는 치킨이 먹고 싶을 때 치킨을 먹고, 피자를 먹고 싶을 때 피자를 먹을 수 있는 삶, 고장난 컴퓨터 부품을 수십만 원 더 비싼 것으로 갈아치워 고사양 게임을 풀옵션으로 플레이할 수 있는 삶, 차 사고가 났다는 친구에게 주저 없이 돈을 빌려줄 수 있는 삶, 빌려준 돈이 급해 낯 뜨겁게 친구를 타박하지 않아도 되는 삶, 대학동에 찾아오는 지인과 거나하게 마신 술값을 쉽게 계산해 버릴 수 있는 삶, 이런 삶에 충분히 만족하고 있었다.

내가 어렸을 때 세웠던 꿈은 대부분… 아니! 실제로 거의 다 이뤄져 있었다. 돈이 없어 라면이나 삼각김밥을 사 먹지 않아도 되는, 컴퓨터 사양 때문에 게임을 못하는 경우가 없는, 한두 푼 때문에 인간관계 속에서 속물이 되지 않아도 되는, 정부로부터 보조금을 받지 않고 내 힘으로 충분할 만큼의 돈을 버는 것. 내 게임은 이미 끝나 있었다. 이 사실을 깨달은 뒤부터 나는 삶에 대한 의욕을 완전히 잃었다. 죽고 싶은 이유는 없었지만, 그렇다고 꼭 살아 있어야 할 필요도 느끼지 못했다. 목적 없이 켜놓기만 하는 게임이 무슨 의미가 있는가? 괜한 전기만 나갈 뿐이고, 더 이상 없는 콘텐츠를 뒤지며 더 큰 공허감을 감당할 뿐이다. 내게는 그럴 자신이 없었다.

내게 있어 이 게임의 권장 플레이타임 – 약 80년 – 은 아스라이 길었다. 운이 좋았을 수도 있고, 내가 게임을 꽤 잘한 것일 수도 있다. 구태여 추가적인 도전과제를 해결하면서 죽은 자식 불알만지는 걸 좋아하는 타입도 아니다. 최근 나의 삶은 일을 하거나, 글을 쓰거나, 졸피뎀을 두 알 세 알씩 먹고 기절하듯 잠들어 열 세 시간 뒤에 일어나 샤

워를 하는 것으로 채워져 있다. 이런 삶이, 이런 게임이 무슨 의미가 있을까? 난 이제 게임을 끄고 싶다. 미안하다.

…

…까지가 이 원고를 완성하기 전에 썼던 에필로그였다! 지금 보니 허, 참, 내가 이런 걸 책에 넣어내려고 했나 싶다. 멋있는 놈 같으니.

이걸 써낸 후, 이렇게 살다간 정말 쥐도 새도 모르게 뒈져버리겠다 싶었던 나는 무작정 서울을 떠났다. 아무렴, 이런 거지같은 도시에서는 글이 안 써지는 게 당연하지. 서울 아닌 아무 곳이나 떠돌아다니다가, 이 책 원고를 다 써내고 나서야 서울로 돌아오겠다고 다짐했다. 객기도 객기였고, 어떤 식으로든 원고를 완성하고자 하는 의지표명

이기도 했다. 이미 마감이 늦춰져서 출판사에 눈치도 보였기 때문이다. 이렇게라도 하지 않으면 웃는 얼굴로 날 죽일지도 모르겠다는 생각이 엄습했다. 이렇게 쓰고 보니 단순한 도망이었던 것도 같다.

그래서 나는 장장 십팔 일 동안, 노트북과 메신저백 하나 싸들고 기약 없이 전국을 싸돌아다녔다. 서울에서 출발해 논산, 대전, 전주, 여수, 삼호, 해남, 땅끝, 목포, 무안, 제주, 서귀포, 모슬포, 마라도, 녹동, 고흥, 순천, 진주, 구미, 울진, 울릉도, 강릉, 속초, 양구, 춘천, 철원을 거쳐 서울로 돌아오면서 원고를 다 써냈다. 참, 보살이 말했던 역마살이라는 게 없지는 않은 모양이다.

이 과정에서 나는 아끼던 묵주팔찌와 낡은 휴대폰 케이스, 윤동주 시집같이 소중한 것들을 잃어버렸다. 그래도 손해가 아주 막심하지는 않았다. 자잘하게 얻은 것도 꽤 있었으니까. 삶에 대한 의지, 영혼의 숙성, 인생의 방향성, 새로운 필명, 그리고 완성된 원고 같은 것들 말이다. 나는 전국의 시외버스터미널, 버스의 27번 좌석, 낡은 여관의 책걸상, 노부부가 운영하는 시골카페, 나무냄새 물씬 풍기는 적산가옥 2층 테라스, 첩첩이 쌓인 산마루 아래의 정자, 날벌레가 달려드는 산동네 터미널 대합실, 지난 밤 비가 내려 흠뻑 젖은 마당과 귀에 풍경소리가 묻어나는 계단 앞에 주저앉아서 글을 썼다. 이대로 죽어도 좋겠다 싶은 순간의 연속들이, 역설적으로 더 살아보고 싶은 마음을 불러일으켰다.

지난 십팔 일의 여정은 내게 있어 살풀이였고, 오롯이 글 쓰는 삶으로 돌아오는 과정이기도 했다. 난 좀 더 살아볼 생각이다. 글 쓰는 사람으로서. 창업, 마케팅, 콘텐츠 기획, 등은 이제 좀 내려놓고, 전업 글쟁이의 삶을 꾸리고자 한다. 새로운 삶에는 새로운 이름이 필요한 법. 김리뷰가 콘텐츠 기획자로서의 내 이름이었다면, 글을 쓸 때는 또 글을 쓰는 사람으로서의 이름이 필요하겠지. 그래서 아마 다음 책에서는 다른 이름으로 찾아올 것 같다. 이 책이 '김리뷰'로서 내는 내 마지막 책이다.

아무리 본문 끝나고 쓰는 에필로그라지만, 너무 막 썼다는 느낌적인 느낌이 있다. 그래도 뭐 어떤가. 그러라고 있는 에필로그인데. 아무튼, 이 허접한 원고를 위해 오랜 시간 기다려준 박정훈 편집자와 출판사, 죽어가기 직전에 어디로든 떠나라고 조언해준 은지 누나 정도가 지금 생각나는 감사한 사람들이다. 뭐 나머지는… 서운하면 직접 만나서 얘기하든가… 어차피 제일 수고한 건 나다. 수고한 나에게 정말 많이 수고했다는 말 전하면서 글을 맺는다. 이 책이 당신에게 그럴듯한 개소리가 되길 바라며.

굿 애프터눈, 굿 이브닝, 굿 나잇.

Thanks to (Inspired)

Adolf Hitler

Bob Marley

Charlie Chaplin

Diana spencer

Ernest Hemingway

Freddie mercury

Gautama Buddha

Howard Hughes Jr.

I_______________

Joan K. Rowling

Kurt Cobain

Ludwig van beethoven

Michael Faraday

Noel Gallagher

O ____________________

Paul Joseph Goebbels

Quentin Tarantino

R ____________________

Steve Jobs

Tupac Shakur

Usain bolt

V ____________________

Walt disney

X Malcolm

Y ____________________

※ 책 내용 중간에 삽입된 이야기들은 위의 인물들로부터 각각 영감을 받아 쓴 것입니다. 큰 줄기에서 실제 인물의 비화를 참고했지만 이외 구체적인 요소들은 작자의 창작입니다. 착오가 없길 바랍니다.

《 비밀미션 》
비어있는 I / V / O / R / Y 의 이름을 찾아
Kingreviewkim@gmail.com에게 메일을 보내주세요.
※ 정답이 일치한다면 집주소와 연락처를 묻는 메일이 갈 것입니다.

《끝》

이번 생 플레이 가이드

태초에 게임이 있었고, 우리는 모두 게이머였다

1판 1쇄 인쇄 | 2018년 8월 16일
1판 1쇄 발행 | 2018년 8월 23일

지은이 | 김리뷰
그린이 | 원사운드

발행인 | 안현동
편집인 | 황민호
출판사업본부장 | 박종규
편집기획 | 박정훈 강경양 백지영
마케팅본부장 | 김구회
마케팅 | 이상훈 김학관 김종국 반재완 이수정 임도환
제작 | 심상운
발행처 | 대원씨아이㈜

주소 | 서울특별시 용산구 한강대로 15길 9-12
전화 | (02)2071-2018 팩스 | (02)797-1023
등록 | 제3-563호
등록일자 | 1992년 5월 11일

ISBN 979-11-334-8985-5 03810